陳寅恪集

寒柳堂集

生活·讀書·新知 三聯書店

Copyright © 2015 by SDX Joint Publishing Company
All Rights Reserved.
本作品版權由生活・讀書・新知三聯書店所有
未經許可，不得翻印。

圖書在版編目（CIP）數據

陳寅恪集．寒柳堂集／陳寅恪著．—3 版．—北京：生活・
讀書・新知三聯書店，2015.7（2021.7 重印）
ISBN 978-7-108-05400-5

Ⅰ.①陳⋯　Ⅱ.①陳⋯　Ⅲ.①陳寅恪（1890～1969）－文集
②社會科學－文集　Ⅳ.① C52

中國版本圖書館 CIP 數據核字（2015）第 131970 號

封面所用拓片文字節自一九二九年立於清華大學內
王國維紀念碑碑銘（陳寅恪撰文，林志鈞書丹）

陳寅恪集編者	責任印制	版式設計	封扉設計	責任編輯		出版發行	郵編	經銷	印刷	版次	開本	印數	字數	定價
陳美延	董歡	寧成春	陸智昌	孫曉林 潘振平		生活・讀書・新知 三聯書店（北京市東城區美術館東街二十二號）	100010	新華書店	北京新華印刷有限公司	二〇〇一年六月北京第一版 二〇〇九年九月北京第二版 二〇一五年七月北京第三版 二〇二一年七月北京第十三次印刷	六三五毫米×九六五毫米　十六開 六三，００１－６６，０００册 印張 十五・二五	一六六千字		六十八元

出版說明

陳寅恪（一八九〇——一九六九），江西修水人。早年留學日本及歐美，先後就讀於德國柏林大學、瑞士蘇黎世大學、法國巴黎高等政治學校和美國哈佛大學。一九二五年受聘清華學校研究院導師，回國任教。後任清華大學中文、歷史系合聘教授，兼任中央研究院理事、歷史語言研究所研究員，第一組主任及故宫博物院理事等，其後當選為中央研究院院士。一九三七年「蘆溝橋事變」後挈全家離北平南行，先後任教於西南聯合大學、香港大學、廣西大學和燕京大學。一九四四年被選為英國科學院通訊院士。一九四二年後為教育部聘任教授，一九五二年後為中山大學教授。一九四六年後并為中國科學院哲學社會科學學部委員。

陳寅恪集十三種十四册，收入了現在所能找到的作者全部著述。其中寒柳堂集、金明館叢稿初編、金明館叢稿二編、隋唐制度淵源略論稿、唐代政治史述論稿、元白詩箋證稿、柳如是別傳七種，八十年代曾由上海古籍出版社出版。此次出版以上海古籍版為底本（隋唐制度淵源略論稿、唐代政治史述論稿二書原據三聯書店一九五七年版重印），内容基本不變。惟寒柳堂集增補了「寒柳堂記夢未定稿（補）」一文。詩集（原名陳寅恪詩集附唐篔詩存）和讀書札記一集（原名陳寅恪讀書札記舊唐書新唐書之部）八九十年代

分別由清華大學出版社和上海古籍出版社出版，此次出版均有增補。書信集、讀書札記二集、讀書札記三集、講義及雜稿四種均為新輯。全書編輯體例如下：

一、所收內容，已發表的均保持發表時的原貌。經作者修改過的論著，則採用最後的修改本。未刊稿主要依據作者手跡錄出。

二、本集所收已刊、未刊著述均予校訂，凡體例不一或訛脫倒衍文字皆作改正。引文一般依現行點校本校核，如二十四史、資治通鑑等。尚無點校本行世的史籍史料，大多依通行本校核。少量作者批語、論述係針對原版本而來，則引文原貌酌情予以保留。以上改動均不出校記。

三、凡已刊論文、序跋、書信等均附初次發表之刊物及時間，未刊文稿盡量注明寫作時間。

四、根據作者生前願望，全書採用繁體字豎排。人名、地名、書名均不加符號注明。一般採用通行字，保留少數異體字。引文中凡為閱讀之便而補入被略去的內容時，補入文字加（），凡屬作者說明性文字則加（）。原稿不易辨識的文字以□示之。

陳寅恪集的出版曾得到季羨林、周一良、李慎之先生的指點，並獲得海內外學術文化界人士的熱情相助。在此，謹向所有關心、支持和參與了此項工作的朋友表示衷心的感謝，並誠懇地希望廣大讀者批評指正。

生活·讀書·新知三聯書店 二〇〇〇年十二月

陳寅恪集總目

寒柳堂集

金明館叢稿初編

金明館叢稿二編

隋唐制度淵源略論稿

唐代政治史述論稿

元白詩箋證稿

柳如是別傳

詩集 附唐篔詩存

書信集

讀書札記一集

讀書札記二集

讀書札記三集

講義及雜稿

陳寶箴（右銘，一八三一——一九〇〇年）

兄妹合影於湖南長沙巡撫署又一村

一八九六年春

左起：長妹康晦、五兄隆恪、次妹新午、七弟方恪、寅恪

陳寶箴領諸孫合影於江西南昌

一八九九年

左起：方恪、寅恪、覃恪、寶箴、封可（衡恪子）、衡恪、隆恪

陳三立（散原，一八五三——一九三七年）在上海時留影
一九二八年前後

與夫人唐篔合影於北平清華園勝因院陳夢家寓所門前
一九四七年初

與蔣天樞合影於廣州中山大學東南區一號樓下南草坪
一九五三年九月
左起：蔣天樞、陳寅恪、唐篔、周菡（黃萱女）、美延

與家人合影
一九五九年二月八日（春節）
後左：幼女美延，後右：次女小彭

陳寅恪遺容
一九六九年十月十七日於廣州殯儀館告別儀式

「論再生緣」封面
一九五四年自刊油印綫裝本

「論再生緣」正文首頁
一九五四年自刊油印綫裝本

「秦婦吟校箋」封面、扉頁
一九四〇年四月刊於昆明

覃思妙想，希蹤古賢；博識宏文，
嘉惠來學。名山事業，流水人琴。

寅恪先生文集傳世

一九七九年三月俞平伯敬題

俞平伯為陳寅恪文集題詞

目 次

論再生緣	一
論唐高祖稱臣於突厥事	一〇八
韋莊秦婦吟校箋	一二三
狐臭與胡臭	一五七
徐高阮重刊洛陽伽藍記序	一六一
朱延豐突厥通考序	一六二
俞曲園先生病中囈語跋	一六四
讀吳其昌撰梁啟超傳書後	一六六
蓮花色尼出家因緣跋	一六九
三國志曹沖華佗傳與佛教故事	一七六
贈蔣秉南序	一八二
〔附〕寒柳堂記夢未定稿	一八三
寒柳堂記夢未定稿（補）	二〇六

論再生緣

寅恪少喜讀小說，雖至鄙陋者亦取寓目。獨彈詞七字唱之體則略知其內容大意後，輒棄去不復觀覽，蓋厭惡其繁複冗長也。及長遊學四方，從師受天竺希臘之文，讀其史詩名著，始知所言宗教哲理，固有遠勝吾國彈詞七字唱者，然其搆章遣詞，繁複冗長，實與彈詞七字唱無甚差異，絕不可以桐城古文義法及江西詩派句律繩之者，遂漸減損改易矣。又中歲以後，研治元白長慶體詩，窮其流變，廣涉唐五代俗講之文，於彈詞七字唱之體，益復有所心會。衰年病目，廢書不觀，唯聽讀小說消日，偶至再生緣一書，深有感於其作者之身世，遂稍稍考證其本末，草成此文。承平豢養，無所用心，忖文章之得失，興窈窕之哀思，聊作無益之事，以遣有涯之生云爾。

關於再生緣前十七卷作者陳端生之事蹟，今所能考知者甚少，茲為行文便利故，不拘材料時代先後，節錄原文，並附以辨釋於後。

再生緣第貳拾卷第捌拾回末，有一節續者述前十七卷作者之事蹟，最可注意。茲迻寫於下。至

有關續者諸問題,今暫置不論,俟後詳述之。其文云:

再生緣。接續前書玉釧緣。業已詞登十七卷,未曾了結這前緣。既讀(「讀」疑當作「續」。)前緣緣未了,空題名目再生緣。可怪某氏賢閨秀,筆下遺留未了緣。後知薄命方成懺,(「懺」疑當作「識」。)中路分離各一天。天涯歸客期何晚,落葉驚悲再世緣。我亦緣慳甘茹苦,悠悠卅載悟前緣。有子承歡萬事定,(「定」疑當作「足」。)心無罣礙洗塵緣。有感再生緣者作,(「者作」疑當作「作者」。)半途而廢了生前。偶然涉筆閒消遣,巧續人間未了緣。

寅恪案,所謂「再生緣」及同書同卷末略云:

卻說謝玉輝非凡富貴,百年之後,夫妻各還仙位。唯有[鄭]如昭情緣未斷,到元朝年間,又臨凡世。更兼芳素癡心,宜主憐彼之苦修,亦斷與駙馬(指謝玉輝)為妾。謝玉輝在大元年間,又幹一番事業,與如昭芳素做了三十年恩愛夫妻,才歸仙位。陳芳素兩世修真,也列仙班,皆後話不提。

及同書同卷結語所云「今朝玉釧良緣就,因思再做巧姻緣」等而言。故陳端生作再生緣,於其書第壹卷第壹回,開宗明義,闡述此意甚詳,無待贅論。所可注意者,即續者「可怪某氏賢閨秀,筆下遺留未了緣。後知薄命方成識,中路分離各一天。天涯歸客期何晚,落葉驚悲再世緣」之

語，蓋再生緣在當時先有流行最廣之十六卷本，續者必先見之，故有「可怪」之語。其後又得見第壹柒卷或十七卷本，故有「後知」之語，然續者與原作者有同里之親，通家之誼，猶不敢顯言其姓名，僅用「某氏賢閨秀」含混之語目之，其故抑大可深長思也。

陳端生於再生緣第壹柒卷中，述其撰著本末，身世遭際，哀怨纏綿，令人感動，殊足表現女性陰柔之美。其才華煥發，固非「福慧雙修」（見下引陳文述題陳長生繪聲閣集詩。此四字甚俗，頤道居士固應如是也。一笑。）隨園弟子巡撫夫人之幼妹秋穀所能企及，即博學宏詞文章侍從太僕寺卿之老祖句山，亦當愧謝弗如也。茲特迻錄其文稍詳，不僅供考證之便利，兼可見其詞語之優美，富於情感，不可與一般彈詞七字唱之書等量齊觀者也。

再生緣第壹柒卷第陸伍回首節（坊間鉛印本刪去此節。）云：

搔首呼天欲問天，問天天道可能還。盡嘗世上酸辛味，追憶閨中幼稚年。姊妹聯牀聽夜雨，椿萱兮（「兮」疑當作「分」。）韻課詩篇。隔牆紅杏飛晴雪，映榻高槐覆晚烟。年（「年」疑當作「午」。）繡倦來猶整線，春茶試罷更添泉。侍父宦遊遊且壯，蒙親垂愛愛偏拳。風前柳絮才難及，盤上椒花頌未便。管隙敢窺千古事，毫端戲寫再生緣。也知岫雲無意，猶像穿窗月可中樓閣千層現，島外帆檣數點懸。

憐。寫幾回,離合悲歡奇際會,寫幾回,忠奸貴賤險波瀾。義夫節婦情何極,自然憔悴堂萱後,(寅恪案,此句疑當刪去,蓋作者取玉釧緣卷首詩意,成此一句也。傳鈔者漏寫「孝子忠臣性自然」一句,而易以「孝子忠臣性自然」五字,又見下文有「自從憔悴堂萱後」七字,遂重複誤寫歟?今見鄭氏鈔本此句作「死別生離志最堅」。可供參考。)慈母解順(「順」疑當作「頤」。)頻指教,癡兒說夢更纏綿。自從憔悴堂萱後,遂使芸緗綵華(「華」疑當作「筆」。)捐。剛是脫靴相驗看,未成射柳美因緣。庚寅失恃新秋月,辛卯京(「京」疑當作「哀」。)鄭氏鈔本作「驚」。亦可通。)絃絃頓絕,半輪破鏡鏡難圓。失羣征(寅恪案,「征」字下疑脫四字。如非脫漏,則「征」字必誤也。鄭氏鈔本作「失羣征雁斜陽外」。是。)羈旅愁人絕塞邊從此心傷意杳渺,年來腸斷意尤煎。未酬夫子情難已,強撫雙兒志自堅。日坐愁城凝血淚,神飛萬里阻風烟。送(「送」疑當作「遂」。)如射柳聯姻後,好事多磨幾許年。豈是蚕爲今日讖,因而題作再生緣。日中鏡影都成驗,(寅恪案,此句疑用開天遺事宋璟事。)曙後

星孤信果然。惟是此書知者久,浙江一省偏相傳。醫年戲筆殊堪笑,反勝那,淪落文章不值錢。閨閣知音頻賞玩,庭幃尊長盡開顏。爲他既作氤氳使,莫學天公故作難。造物不須相忌皇甫少華諧伉儷,明堂酈相畢姻緣。諄諄更囑全終始,必欲使,鳳友鸞交續舊弦。我,我正是,斷腸人恨不團圓。重翻舊稿增新稿,再理長篇續短篇。歲次甲辰春二月,芸窗仍寫再生緣。悠悠十二年來事,盡在明堂一醉間。

同書同卷第陸捌回末節(坊間鉛印本刪去此節。)云:

八十張完成一卷,慢慢的,冰弦重撥待來春。知音愛我休催促,在下閒時定續成。白芍霏霏將送臘,(鄭氏鈔本「芍」作「雪」。)詳見後附校補記。)紅梅灼灼欲迎春。向陽爲趁三年日,(鄭氏鈔本「年」作「竿」自可通。)入夜頻挑一盞燈。僕本愁人愁不已,殊非是,拈毫弄墨舊如心。(「如」疑當作「時」。)其中或有差譌處,就煩那,閱者時加斧削痕。

據作者自言「羈旅愁人絕塞邊」及「日坐愁城凝血淚,神飛萬里阻風烟」,又續者言「後知薄命方成讖,中路分離各一天。天涯歸客期何晚,落葉驚悲再世緣」,是陳端生之夫有謫戍邊塞,及夫得歸,而端生已死之事也。檢乾隆朝史乘及當時人詩文集,雖略有所考見,但仍不能詳知其人其事之本末。今所依據之最重要材料,實僅錢塘陳雲伯文述之著述。文述爲人,專摹擬其鄉先輩袁簡齋,頗喜攀援當時貴勢,終亦未獲致通顯。其最可笑者,莫如招致閨閣名媛,列名於

其女弟子籍中，所謂「春風桃李羣芳譜」者是也。（見文述撰頤道堂詩選貳貳留別吳門詩及此詩中文述自注。）然文述晚歲，竟以此為多羅貝勒奕繪側室西林太清春（顧春字子春，號太清，實漢軍旗籍也。）所痛斥，遂成清代文學史中一重可笑之公案。今迻錄太清所撰天游閣集第肆卷中關涉此事者於後，非僅欲供談助，實以其中涉及續再生緣事，可資參證也。其文如下：

錢塘陳叟字雲伯者，以仙人自居，（寅恪案，雲伯以碧城仙館自號，其爲仙也，固不待論。）著有碧城仙館詩鈔，中多綺語，更有碧城女弟子十餘人，代爲吹噓。去秋曾託雲林（寅恪案，雲林者，錢塘許宗彥及德清梁德繩之女，適休寧孫承動，與文述子裝之即芹兒之妻汪端，爲姨表姊妹。可參陳壽祺左海文集拾肆駕部許君墓誌銘及閔爾昌碑傳集補伍玖阮元撰梁恭人傳。但阮元文中「休寧」作「海陽」，蓋用休寧舊名也。）又頤道堂詩選拾有（嘉慶十七年壬申）二月初五日爲芹兒娶婦及示芹兒並新婦汪端詩，同書貳叄復有（道光七年）丁亥哭裴之詩，西泠閨詠壹伍華藏室詠許因姜雲及同書壹陸題子婦汪端自然好學齋詩後兩七律序語等，皆可參證。至於汪端，則其事蹟及著述，可考見者頗多，以與本文無關，故不備錄。）以蓮花筏（箋?）一卷墨二錠見贈，余因鄙其爲人，避而不受，今見彼寄雲林信中有西林太清題其春明新詠一律，並自和原韻一律。（寅恪案，今所見春明新詠刊本，其中無文述偽作太清題

詩及文述和詩,殆後來刪去之耶?)此事殊屬荒唐,尤覺可笑。不知彼太清此太清是一是二?遂用其韻,以記其事。

含沙小技太玲瓏,野鶩安知溧雪鴻。綺語永沈黑闇獄,庸夫空望上清宮。碧城行列休添我,人海從來鄙此公。任爾亂言成一笑,浮雲不礙日光紅。

寅恪案,文述所為,雖荒唐卑鄙,然至今日觀之,亦有微功足錄,可贖其罪者,蓋其人為陳兆崙族孫,又曾獲見端生妹長生。其所著頤道堂集碧城仙館詩鈔及西泠閨詠中俱述及端生事。今逐錄其文於下:

陳文述頤道堂詩外集陸(國學扶輪社刊碧城仙館詩鈔玖)載:

題從姊秋穀(長生)繪聲閣集七律四首

濃香宮麝寫烏絲,題徧班姬鮑妹詩。一卷珠璣傳伯姊,六朝金粉定吾師。碧城醒我遊仙夢,繡偈吟君禮佛詞。記取宣南坊畔宅,春明初拜畫簾遲。

湖山佳麗水雲秋,面面遥山擁畫樓。紗幔傳經慈母訓,璇璣織錦女兄愁。龍沙夢遠迷青海,(自注:長姊端生適范氏,塉以累謫戍。寅恪案,「累」碧城仙館詩鈔作「事」。)鴛牒香銷冷玉鉤。(自注:仲姊慶生早卒。)爭似令嫻才更好,金閨福慧竟雙修。

碧浪蘋香一水(「一水」碧城仙館詩鈔作「水一」)涯,韋郎門第最清華。傳來鸚鵡簾前語,

繡出芙蓉鏡裏花。梅笑遺編寒樹雪，虁香詩境暮天霞。（自注：兩姑皆有詩集。梅笑周太恭人集名，虁香李太恭人集名。）更聞羣從皆閨秀，（自注：娣周星薇，長姑淑君，小姑渚蘋，皆能詩。）詠絮何勞説謝家。

繪水由來説繪聲，玉臺詩格水同清。偶從寒夜燒燈讀，如聽幽泉隔竹鳴。江上微波秋瑟瑟，畫中遠浦月盈盈。仙郎縱有凌雲筆，（「筆」碧城仙館詩鈔作「賦」。）作賦（「作賦」碧城仙館詩鈔作「起草」。）還勞翠管評。

又西泠閨詠壹伍云：

繪影閣詠家□□

□□名□□，句山太僕女孫也。適范氏。塤諸生，以科場事爲人牽累謫戍。因屏謝膏沐，撰再生緣南詞，託名女子酈明堂，男裝應試及第，爲宰相，與夫同朝而不合併，以寄別鳳離鸞之感。曰：塤不歸，此書無完全之日也。塤遇赦歸，未至家，而□□死。許周生梁楚生夫婦爲足成之，稱全璧焉。「南花北夢江西九種」梁溪楊蓉裳農部語也。「南花」謂天雨花，「北夢」謂紅樓夢，謂二書可與蔣青容九種曲並傳。（寅恪案，蔣瑞藻小説考證續編壹再生緣條引閨媛叢談，其文全出自西泠閨詠。又王韜松隱漫錄十七卷附閨媛叢錄一卷。寅恪未得見其書，閨閣中咸喜觀之。（寅恪案，相傳亦女子所作，與再生緣並稱。天雨花亦南詞也。

不知是否即蔣氏所引者。並可參考鄧之誠先生骨董瑣記伍南詞再生緣條。）

紅牆一抹水西流，別緒年年悵女牛。金鏡月昏鸞掩夜，玉關天遠雁橫秋。苦將夏簟冬釭怨，細寫南花北夢愁。從古才人易淪謫，悔教夫壻覓封侯。

上引陳氏兩書皆關涉端生及其夫范某之主要材料，兩者內容大抵相同，而西泠閨詠較為詳盡。今考定此等記載寫成年月，並推求其依據之來源，更參以清實錄、清會典、清代地方志及王昶春融堂集、戴佩荃蘋南遺草、陸燿切問齋集等，推論端生之死及范某赦歸之年。固知所得結論，未能詳確，然即就此以論再生緣之書，亦可不致漫無根據，武斷妄言也。西泠閨詠伍詠端生詩之前，其第六題即為「繪聲閣詠家秋穀」者，其詩中既有「香車桂嶺青山暮」之句，其序中復載「歸葉琴柯中丞」之語。琴柯者，紹榰之字。（可參湖海詩傳肆拾兩浙輶軒續錄壹陸晚晴簃詩匯壹百捌等書葉紹榰小傳。）李桓耆獻類徵壹玖陸疆臣類捌載紹榰本末頗詳。紹榰於嘉慶二十二年由廣西布政使擢廣西巡撫，二十五年被議降級解職，其次年即道光元年病卒。然則西泠閨詠此節必成於嘉慶二十二年任巡撫以後，始得稱紹榰為「中丞」，「中丞」者御史中丞之簡稱，清代巡撫兼帶右副都御史之銜名，故習俗以「中丞」稱巡撫。據此，則文述詠陳長生之詩，距其全書完成之時代，不能超過十年之久也。（西泠閨詠作者自序所題年月為道光丁亥閏五月，即道光七年也。）以通常行文之例言，長生應列於其姊端生之後，今不爾者，殆文述詠長生詩

既成後，始牽連詠及端生，遂致列姊於妹後耶？若果如是者，則文述詠端生之詩，其作成之時亦當與道光七年相距甚近也。此點關涉再生緣續者之問題，俟後更詳論之。至其稱楊芳燦為「楊蓉裳農部」，則芳燦因其仲弟授甘肅布政使，援引道府以上同祖以下兄弟同省迴避之例，（參清會典事例肆柒吏部漢員銓選親族迴避等條。）已由甘肅外職改捐員外郎，在户部廣東司行走。其時至少在嘉慶三年以後。（見碑傳集壹百捌趙懷玉撰楊君芳燦墓誌銘。）若更精密言之，則至少在嘉慶六年文述與芳燦在京師相識以後也。（見下引芳燦送雲伯序。）文述詠端生之詩作成時代頗晚，又得一旁證矣。

關於文述題繪聲閣集詩四首，其第二首最關重要，置後辨釋。其餘三首依次論證之。

第一首詩

第一首中最關重要者，在文述初次得見陳長生年月，並文述見長生是否多次等問題。此等問題可取兩事即（一）文述初次隨阮元入京及第二次會試入京之年月，與（二）長生於此兩時間適在北京，有遇見文述之可能，參合推定之於下。

楊芳燦芙蓉山館文鈔貳送陳雲伯之官皖江序略云：

嘉慶辛酉（六年）余與雲伯相見於都下。於茲五閱寒暑矣。同人惜別，贈言盈篋。余與陳編修用光查孝廉揆俱為序引，時丙寅（嘉慶十一年）新正穀日也。

又頤道堂文鈔壹頤道堂詩自序略云：

嘉慶丙辰（元年）儀徵阮伯元先生視學浙江。越二年戊午（嘉慶三年）從先生入都。明年（嘉慶四年己未）又從至浙。越二年（嘉慶六年辛酉）又以計偕入都，居京師者五年。

又頤道堂詩選壹伍略云：

余自辛酉（嘉慶六年）至乙丑（嘉慶十年）京師舊作多琴河李晨蘭女士加墨。（寅恪案，今所見碧城仙館詩鈔拾卷，後附有李元壋跋，所題年月為嘉慶〔十年〕乙丑秋七月。可與上引楊芳燦文參證。）重莅琴河，女士下世已十五年矣。感賦。

（詩略）

寅恪案，文述第一次至京為嘉慶三年，出京為嘉慶四年。第二次至京為嘉慶六年，出京為嘉慶十一年正月。第二次即文述所謂「居京師者五年」是也。第一次在京之時間，雖遠不及第二次之長久，然鄙意文述之獲見長生實在第一次。所以如此推論者，文述為人喜攀援貴勢，尤喜與閨閣名媛往還。長生為兆崙孫女，本與文述有同族之親，況以袁隨園女弟子之聲名，葉琴柯編修夫人之資格，苟長生此時適在京師，而文述不急往一修拜謁之禮者，則轉於事理為不合矣。至於長生適在北京與否之問題，可以依據葉紹楏歷官及居京之年月推定之也。

者獻類徵壹玖陸疆臣類肆捌葉紹楏傳略云：

葉紹楏浙江歸安人。乾隆五十年由舉人於四庫館議敘，授內閣中書。五十五年服闋，補原官。五十八年進士，改庶吉士。六十年散館授編修。嘉慶三年丁母憂。五年二月，五月充日講起居注官。四年二月改河南道監察御史，四月命巡視南城。五年轉掌江西監察御史。六年五月充雲南鄉試正考官，八月命提督雲南學政。九年差竣回京。十年命巡視天津漕務。十一年六月升工科給事中。

寅恪案，葉紹楏與陳長生從何時起同在京師，乃一複雜之問題，詳見下文第二首詩中考辨纖素圖繪成之時間一節，今暫不置論。惟可斷言者，嘉慶三年文述初次隨阮元入京時，長生必已在京師，因紹楏已任職翰林院編修，長生自必隨其夫居都城也。文述第一次於嘉慶三年隨阮元入京，四年又隨元出京。文述往謁長生，當即在三年初次入京之時，而賦此四詩當更在謁見之後，謁見與賦詩並非同時。頗疑文述止一度晤見長生，其題繪聲閣集四律，實非以之為拜謁之贄，不過晤見之後，追寫前事，呈交長生夫婦閱覽者。觀詩中「記取城南坊畔宅，春明初拜畫簾遲」之語，可以推見也。又若文述得見長生不止一次者，則以碧城仙館主人性好招搖標榜之習慣推之，必有更多詩什，賦詠其事，而不僅此四律而已也。或者文述當日所為，長生夫婦已有所聞知，遂厭惡畏避，不敢多所接待耶？其詩集即取以為名。「繡偈吟君禮佛詞」詩中所謂「碧城醒我遊仙夢」者，碧城仙館文述自號也。

者，長生曾作禮佛詞六首，刊入隨園女弟子詩集(卷肆)中，早已流行，文述蓋見之久矣，決非長生以已所著詩集示之也。

第三首詩

第三首盛誇長生夫家女子能詩者多。文述此所取材，究從葉氏織雲樓詩合刻，抑從袁簡齋隨園詩話補遺叁「吾鄉多閨秀，而莫盛於葉方伯佩蓀家」至「陳夫人之妹淡宜(此語有誤，辨見論第二首詩節。)亦工詩」等六條(隨園詩話補遺所以多謬誤者，蓋由簡齋身歿之後，補遺方始刊行也。簡齋歿於嘉慶二年。參碑傳集壹百玖孫星衍撰袁枚傳。)轉錄而來，雖難確定，但今以沈湘佩名媛詩話肆「織雲樓合刻為歸安葉氏姑婦姊妹之作」條考之，(前南京國學圖書館總目所載，織雲樓詩合刻僅有周映清梅笑集一卷，誤作「笑梅集」，及李含章蘩香詩草一卷，皆云「嘉慶刻」。又孫殿起叢書目錄拾遺總目陸有織雲樓詩合刻，其中亦止此兩集。但云「乾隆間刊」。豈此數集合刻先後陸續刊行耶？抑書目記錄有誤耶？寅恪未見合刻全書，故不得已而依沈書也。)知葉令昭即蘋渚(文述詩作渚蘋。)所作在附刻中，則可推定文述實已及見織雲樓詩合刻，或更參以隨園詩話補遺，蓋文述此四首詩本為謁見長生之後追記前事而作，前論第一首詩已及之矣。既是追記之作，則可取關涉長生夫家閨秀之材料，雜糅而成，並非長生以其夫家閨秀之詩集出示文述，此又可斷言者也。至於「碧浪蘋香一水涯。韋郎門第最清華」者，可參戴璐藤陰雜記叁所

載湖州碧浪湖建萬魁塔條。此條即涉及葉紹楏。文述於西泠閨詠壹叁湖上詠周暎清李含章葉令儀陳長生周星微詩「碧浪湖波浸晚霞」（文述此詩序中述葉氏織雲樓詩合刻，僅及此五人，而不及令昭。西泠閨詠自序題道光丁亥，即道光七年，時代頗晚。據此可知文述叙葉氏閨秀詩集，去取實不依據一種材料也。）及同書壹伍繪聲閣詠家秋縠詩「畫舫蓮莊碧浪遙」之句亦皆指此而言也。又據光緒重修歸安縣志伍輿地略伍水門碧浪湖條及同書捌輿地略捌古蹟門白蘋洲條，則碧浪湖白蘋洲之地為葉氏家園所在，文述所詠固甚切實，而葉令昭之字蘋渚及戴佩荃之字蘋南，皆與此語有關，非僅用古典矣。

第四首詩

第四首第七句「仙郎縱有凌雲筆」，固通常讚美紹楏之泛語，然據上引耆獻類徵壹玖陸葉紹楏傳，知紹楏以翰林院編修於嘉慶三年二月大考二等，五月充日講起居注官。六年五月充雲南鄉試正考官，八月命提督雲南學政。九年差竣回京。在此時間紹楏實為文學侍從司文典學之臣，故詩語頗為允切，可推見此四詩當是嘉慶三年至十年間之作。「江上微波秋瑟瑟」之句，即後來文述於西泠閨詠壹伍繪聲閣詠家秋縠詩所謂「微波吟㷀夕陽橋」者也。

總之，此等詩皆足徵文述未嘗與長生有何密切往來，詳悉談話之事，要不過以族弟之資格，一往謁見而已。故文述所記長生姊端生事，當必從他處探訪得知，非出自長生口述，其記端生事

及梁德繩續再生緣事，或過於簡略，或有錯誤，實無足異也。

第二首詩

第二首乃四首詩中最有價值，又最難確定者。茲先論其不甚重要及易解釋之句。「紗幔傳經慈母訓」者，據端生長生之祖陳兆崙所著紫竹山房文集壹伍顯妣沈太宜人行述略云：

又同集附兆崙姪玉繩所編年譜乾隆十五年庚午條下云：
次子之妻兄秀水汪孟鋗弟仲鋗亦中式。

寅恪案，汪起巖不知何名，道光十五年修雲南通志稿壹壹玖秩官志載：

汪上塨，秀水人，貢生，乾隆十年任雲南府知府。

疑是此人。蓋上塨頗有先後任雲南省首府雲南府及大理府知府之可能也。端生長生之文學，與其母有關，自不待論。即再生緣中孟麗君蘇映雪燕玉皇甫少華等主要人物，皆曾活動於雲南省之首府，當亦因作者之外祖曾任雲南省首府知府，其母或侍父宦遊，得將其地概況告之端生姊妹，否則再生緣中所述他處地理，錯誤甚多，而雲南不爾者，豈復由於「慈母訓」所致耶？

「鴛牒香銷冷玉鉤」句下文述自注云：
仲姊慶生早卒。（前文已引，今重錄之，以便省覽。）

寅恪案，紫竹山房文集壹捌先府君（暨）先妣沈太夫人合葬墓誌云：

孫玉萬娶吳氏，妾林氏。玉敦娶汪氏，妾施氏。曾孫女三，端，慶，長。

及同書同卷先祖府君（暨）祖妣秦太夫人合葬墓誌云：

元孫女三，端，慶，長。

然則慶生乃端生之妹，長生之姊，似亦與端生長同為玉敦嫡室汪氏所出。慶生早死，他種材料未見此事，唯文述此詩及之，此亦可注意者也。玉敦側室施氏有無子女，尚待詳考。至於杭郡詩輯續集肆叁有陳淡宜都中寄姊七律一首，其小傳云：

淡宜，錢塘人，長生妹。

但其詩全同於葉佩蓀次女令嘉字淡宜答淑君姊之什。（參織雲樓詩合刻及潘衍桐兩浙輶軒續錄伍貳閨秀類。）長生為佩蓀長媳，淡宜為佩蓀次女，吳振棫見隨園詩話補遺第叁卷有「陳夫人之妹淡宜」一語，因有不確之記載。隨園詩話之誤或由於刊寫不慎，遂致輾轉譌小姑為小妹，殊可笑也。辨釋第二首詩中易解者已竟，茲請次論其難確定者，即陳端生卒於何年及范某以何年遇赦獲歸。此兩事之時間相距至近，可以取其一事，以推定其他一事之時代也。

此詩中最有價值記載為述及陳端生壻范某之案。但所述全同於西泠閨詠壹伍繪影閣詠家□□序中所言，而西泠閨詠轉較此為詳，是西泠閨詠之文亦較此為有價值也。此兩記載雖不能確定文

述何年所寫,鄙意西泠閨詠之記載寫在端生已卒,范某已歸之後,時代較此首詩為晚,自無問題。至此首詩中文述自注涉及端生范某者,似在端生已卒,范某已歸之後。何以言之?范某一案,如下文所引材料,知為當日最嚴重事件。細思之,當亦在端生述作詩不敢言及,即敢言及,亦為長生所不喜見者,而文述自不便牽涉及之也。(織素圖乃陳長生戴佩荃閨閣摯友間繪畫題詠之事,不可以出示外人者。戴璐吳興詩話不錄長生端生輓佩荃兩詩中涉及織素圖之一首,作詩之時,端生已死,范某已歸。此案既無問題,詩語涉及,亦無妨礙。此點正與陳此推論,殆亦由詩語過於明顯故耶?)今此首詩八句中即有兩句涉及端生,可依桂生請王昶為其祖詩文集作序之事,同一心理,同一環境,得知端生至少在乾隆五十四年秋間猶生存無恙,可據陳端生之卒年雖甚難確定,然有一旁證,俟於下文詳辨證之也。
下引材料,推測決定也。

戴佩荃織素圖次韻詩云:

貌出青娥迥軼塵,淡妝不逐畫眉新。分明錦字傳蘇蕙,絕勝崔徽傳裏人。
軋軋聲頻倦下機,詎將遠夢到金微。西風聽徹塞砧急,霜葉檐前儘亂飛。
十三學得厭彈箏,頗耐西南漸有聲。女手摻摻勞永夜,七襄取次報章成。

又陳長生挽戴蘋南(佩荃)詩云:

桂花香滿月圓初,驚說乘風返碧虛。料得廣寒清淨地,修文正待女相如。(此首亦見戴璐尺幅生綃點染新,十行錦字爲傳神。而今留得清吟在,說與圖中織素人。吳興詩話壹貳,但無第貳首。殆有所隱諱而不錄耶?)

上引戴佩荃之詩,當載於蘋南遺草。寅恪未見原書,僅間接從梁乙真清代婦女文學史第貳編第肆章所引得知。

又戴佩荃之父戴璐所著吳興詩話壹貳略云:

文人薄命,才女亦然。余女佩荃字蘋南,幼慧學吟,長工書畫。適趙日照。隨翁鹿泉先生西江使署。忽畫長亭分別,神貌如生,並繫以詩。未幾歿,年僅二十三。余哭以詩,一夕成二十三章。最痛者云:「淒絕霜高夜向闌,無言嗚咽淚珠彈。豈期馬角無生日,望斷盧峰面面巒。」

吳超亭同年輓詩(寅恪案,超亭爲吳興宗之字,此詩亦見阮元兩浙輶軒錄肆拾閨秀類,蓋從蘋南遺草錄出也。)〔略〕云:「天女香隨花雨散,蘇姬才薄錦紋迴。尊章泣月驚秋到,慈父牽情促夢來。」

内弟沖之(寅恪案,戴璐内室沈芬亦能詩,見吳興詩話壹貳。)句云:「柳絮椒花未足推,愛伊才德一身賅。芳齡正好圖團聚,大藥何期莫挽回。秋月滿輪人遽去,西風捲幕客重

來。征衣漸覺寒至，刀尺憑誰爲剪裁。」

楊拙園知新題云：「仙遊正值月團圞，扶病萱堂泣歲寒。隔歲九泉重見母，魂依棃下不愁單。」

清國史列傳貳捌大臣傳次編叁趙佑傳（參光緒修杭州府志壹貳陸人物類名臣肆）略云：趙佑浙江仁和人。乾隆十五年舉人，十七年成進士，改庶吉士。二十二年散館授編修。五十三年充江西鄉試正考官。五十四年六月充江西鄉試正考官，旋授江西學政。子曰熙，正三品廕生，前任江蘇長洲縣知縣。（光緒修杭州府志壹壹叁選舉柒有趙日熙條，但無趙日照之名。又阮元兩浙輶軒錄肆拾閨秀類戴佩荃傳亦有「仁和趙日照室」之語，當是採自蘋南遺草。）

李元度先正事略肆貳文苑類寶東皋先生（光鼐）傳附趙鹿泉先生（佑）傳略云：同時趙鹿泉先生名佑，字啓人，仁和人。後東皋先生（指寶光鼐）十年成進士。同以制舉業名天下。著有清獻堂集。

錢儀吉碑傳集捌伍朱珪撰湖南布政使葉君佩蓀墓誌銘略云：葉佩蓀字丹穎，浙江歸安人。辛卯（乾隆三十六年）〔自河南南陽府知府〕卓異引見，擢河東道。乙未（四十年）戊戌（四十三年）再署按察使。己亥（四十四年）授山東按察使。辛丑（四

十六年)授湖南布政使。壬寅(四十七年)護湖南巡撫事。東撫敗,以不先舉發,吏議當革職,奉旨降補知府。(寅恪案,東撫謂山東巡撫國泰也。參清實錄高宗實錄壹壹伍肆乾隆四十七年四月五月等條。)君入都,請校書萬册自效。癸卯(四十八年)歲除,余自閩還,見君。明年(甲辰四十九年)九月八日卒。子紹楹,乾隆己亥(四十四年)舉人。

寅恪案,參合上引材料,可以解決三問題。(一)戴佩荃逝世之年月。(二)戴佩荃之織素圖次韻詩作成時間。(三)織素圖中之織素人為何人。請依次論之于下:

(一)戴佩荃之夫趙日照之父趙佑者,當時最有名之八股文專家。佑之為人,似未必真能知賞善吟詠,工繪畫,從事於八股家所謂雜學之才女。其所著清獻堂集詩中有涉及佩荃及日照者,大抵為乾隆五十六年五十七年之作。其時蘋南已逝世二三歲矣。茲節錄其詩於下:

清獻堂集貳傷介婦戴示日照詩云:

不堪老淚頻傷逝,怪見華年又悼亡。(原注:照先娶於沈,戴繼之,皆知婦道。沈有出不育,戴無出。)弱甚每憐親藥裹,病中還說理詩囊。(原注:婦嘗請於姑,乞為余鈔詩稿,以其病未許。)聲塵幻忽渾難識,圭璧操持要有常。獨憾添丁消息晚,且看齋奠異時償。

(詩略)

又示九弟俌並熙煦輩詩云:

又舟中還寄示諸弟示煦照詩略云：

煦也逾壯尚初服，照連喪偶行更圖。

寅恪案，趙鹿泉止書佩荃之姓，而不著其名，蓋遵內諱不踰閫之古義，其為人為文之拘謹，可以概見，然而才女之名字遂坐是湮沒不彰矣。據戴璐哭佩荃詩序，（寅恪未見秋樹山房集，僅從阮元兩浙輶軒錄肆拾閨秀類戴佩荃傳所引戴璐哭女詩序及其他間接材料得知。）謂佩荃「書體尚豐碩，似非夭相，而不永其年」。寅恪未得見佩荃之書，不知其體勢如何，然蘋南為湖州人，其地與顏魯公趙子昂有關涉，又生值乾隆時代，清高宗書法摹擬右軍，一變明末清初董字渴筆瘦體之風，上行下效，相習成風，蘋南之書法當受此環境薰習者也。鹿泉始以蘋南書法與當時翰苑臺閣之體，有所冥會，若出之男子之手，尚可作殿廷考試之白摺小楷，以供射策決科之用，遂亦頗加贊賞歟？否則蘋南必不敢輕率請求抄寫此老學究之家翁所賦試帖體之詩句也。今史乘地志於鹿泉諸子，唯曰煦一人略具事蹟，而曰照之名僅附見於吳興詩話及兩浙輶軒錄蘋南小傳中。夫以妻傳諸子，如「駔儈下材」之於易安居士者，可謂幸矣。（寅恪頗信建炎以來繫年要錄所載，而以後人翻案之文字為無歷史常識。乾隆官本樓鑰攻媿集中凡涉及婦人之改嫁者，皆加竄易，為之隱諱。以此心理推之，則易安居士固可再醮於生前趙宋之日，而不許改嫁於死後金清之時，又何足怪哉。至顧太清之主易安年老無改嫁之事者，則又因奕繪嫡室之子

於太清有所非議,固不得不藉此以自表白,而好多事、不識時務之陳文述,反賦詩招搖,宜遭致其痛斥也。)日照元配沈氏,或者蘋南母沈芬之姪女,俟後更考。戴弗堂記錄輓其女蘋南之詩頗多,而不及鹿泉之作者,或以未曾得見,遂至漏書,或雖得見,而以親家翁之句為未工,因不載錄於其詩話耶?

據趙佑傳,乾隆五十四年佑以江西鄉試正考官授江西學政。佩荃隨佑赴江西任所,不久逝世。此即吳興詩話壹貳所謂「隨翁鹿泉先生西江使署,未幾歿」者。陳長生輓詩云:「桂花香滿月圓初。驚說乘風返碧虛。」吳超亭輓詩云:「尊章泣月驚秋到。」沈沖之輓詩云:「秋月滿輪人邊去,西風捲幕客重來。」楊拙園輓詩云:「仙遊正值月團團。」是佩荃歿於乾隆五十四年秋季也。

(二)隨園詩話補遺叁略云:

吾鄉多閨秀,而莫盛於葉方伯蓀家。其前後兩夫人,兩女公子,一兒婦,皆詩壇飛將也。其長媳長生,吾鄉陳句山先生之女孫也。寄外云:「弱歲成名志已違,看花人又阻春闈。(原注:兩上春官,以迴避不得入試。)縱教裘敝黃金盡,敢道君來不下機。」「頻年心事託冰紈,絮語煩君仔細看。莫道閨中兒女小,燈前也解憶長安。」

寅恪案,陳長生寄外詩為何時何地所作,此點關涉考定長生與戴佩荃何時同在北京,而戴佩荃

能作織素圖次韻詩之問題。據上引葉佩蓀傳,知葉紹楏於乾隆四十四年中式舉人,又據清代史乘,如清實錄東華錄等書,知自乾隆四十四年即紹楏鄉薦之年,至乾隆五十八年即紹楏成進士之年,其間共有六次會試,此六次會試,凡有舉人之資格者,皆可應試。紹楏之以迴避,兩次不能入闈,究在何年?今依次逆數而考定之。紹楏於五十三年丁母憂,不知其母卒於何月,雖五十四年有閏五月,然以常情推測,恐五十五年春闈,紹楏仍在母憂中,自不能會試。五十二年會試,紹楏可以應試,蓋雖應試,而不得中式也。據紹楏傳,知紹楏在乾隆五十年由舉人於四庫館議敘,授內閣中書。此時其父佩蓀已前卒,其母尚健在。以常情論,紹楏全家當在京師,而長生此時亦必在京,不必作寄外詩也。(袁隨園編續同人集壹叁閨秀類載,陳長生金陵寄懷隨園十絕句第一首云:「先生高隱臥煙蘿,三徑盤桓七十過。」據碑傳集壹百柒孫星衍撰袁君枚傳,知簡齋卒於嘉慶二年,年八十二。然則乾隆五十年簡齋年七十歲。長生作寄懷隨園十絕句時,必在乾隆五十年以後。綜合推計之,當是乾隆四十九年九月葉佩蓀卒後,紹楏等扶柩回籍,安葬之後,再返北京,因途中阻風金陵,李陳姑婦二人,因得遊隨園賦詩。至於長生作寄懷隨園十絕句時,則疑在其過金陵見簡齋之後,大約為隨夫葉紹楏供職京師之期間也。然耶?否耶?姑記於此,更俟詳考。)四十九年會試紹楏可以應試,因佩蓀此年春間,亦已在北

京請於四庫館校書自效。佩蓀雖卒於四十九年九月,而會試之期在春季,故紹權可以應試,但已應試而未中式耳。四十五年四十六年兩次會試,紹權皆可應試,此兩年其父佩蓀適任外官,不在京師。長生當隨侍其翁姑於外省任所。故長生寄外詩中所謂「看花人又阻春闈」,及「莫道閨中兒女小,燈前也解憶長安」等語,即指此兩次,紹權雖在京,而以迴避不能應試言。自四十七年後,佩蓀紹權父子已同在京師,長生斷無他往之理。然則織素圖之繪成,必在四十七年以後,至五十四年秋間戴佩荃逝世以前。以佩荃卒年僅二十三歲之一點推測,雖天才如佩荃,恐亦不能作此圖太早,大約此圖繪畫之時間,距佩荃逝世前不甚久,即距乾隆五十四年秋季以前不遠也。長生之父玉敦與戴佩荃之翁佑,同為杭州人,同舉乾隆十五年庚午鄉試,佑之八股文復為長生祖句山所稱賞。(見紫竹山房集陳句山先生年譜乾隆十五年庚午條。)佩荃之父璐與長生之夫紹權又同為湖州人。當此時兩家在京,往還必頗親密,觀戴璐吳興詩話壹貳述及長生夫婦,可以推見。否則佩荃無由作織素圖次韻詩也。

(三)織素圖者即取孔雀東南飛樂府詩「十三能織素」之句,及晉書玖陸列女傳竇滔妻蘇氏[蕙]傳「滔被徙流沙」,「蘇氏思之,織錦為迴文旋圖詩」之意,繪畫而成。觀佩荃織素圖次韻詩「分明錦字傳蘇蕙」、「詎將遠蘿到金微」、「十三學得厭彈箏」等語,可以為證。然則此圖中之織素人必為女性,而其夫又以罪謫邊,自不待言矣。與此圖中女性相關涉,得直指為即是圖中織素人

者,止有三可能之人。第一可能者為陳長生。然長生之夫為葉紹楏,今可考知者,頗為詳盡。紹楏既無戍邊之事蹟,則長生非圖中之纖素人可知。第二可能者,為戴佩荃。趙佑之子可考見者有日煕日照日煦三人。佩荃之夫日照,其事蹟雖不詳,然據上引趙佑清獻堂集貳舟中還寄示諸弟示煦照詩,知乾隆五十八年鹿泉作此詩時,日照並未遠去,則其人實無戍邊之事。吳超亭輓佩荃詩詩云「蘇姬才薄錦文迴」,及沈冲之輓佩荃詩云「芳齡正好圖團聚」等語,雖似日照亦有陳端生瑁范某戍邊之嫌疑者,然沈冲之輓詩又云「西風捲幕客重來,必無遠謫之事,大約佩荃卒時,日照不在側耳。至陳長生輓佩荃詩云:「尺幅生綃點染新,十行錦字為傳神。而今留得清吟在,說與圖中纖素人。」詩中「十行錦字」即錦上之迴文。「清吟」即佩荃纖素圖次韻七絕三首。今佩荃雖還歸天上,而「清吟」猶留在「人間」,故長生可說與同在人間之纖素人,即告以佩荃逝世之消息。一死一生,取與對比,暗用李義山重過聖女祠詩「上清淪謫得歸遲」之句,寓意尤為沈痛也。由是言之,纖素圖中之纖素人,必非戴佩荃,又可知矣。第三可能者,以普通消除遞減之方法推之,則捨陳端生莫屬。若是端生,則佩荃長生諸詩中所用古典皆能適合,自不必贅論,而佩荃「淡妝不逐畫眉新」之句與西泠閨詠壹伍繪影閣詠家□□詩序中「屏謝膏沐」之今典更相符會也。所可注意者,即佩荃詩中「西南漸有聲」之語。依通常解釋,溫飛卿池塘七夕詩云:「月出西南露氣秋。」(見才調集貳。)及七夕詩云:「青鎖西

二五

南月似鉤。」（見曾益謙予咸顧嗣立等溫飛卿詩集注肆。）蘋南詩中「西南」二字出處當是從溫詩來，與下「永夜」句固相適應，而「七襄」句更暗寓七夕離別之意，（飛卿七夕詩云：「人間離別水東流。」）尤為巧妙也。然寅恪於此尚不滿足，姑作一大膽而荒謬之假設，讀者姑妄聽之可乎？陳端生於再生緣第壹柒卷首節云：「惟是此書知者久，浙江一省徧相傳。」又云：「歲次甲辰春二月，芸窗仍寫再生緣。」考道光十五年修雲南通志壹貳拾秩官志貳之壹貳官制題名壹貳國朝文職官姓氏叁臨安府同知欄載：

陳至（寅恪案，「至」當爲「玉」之形誤也。）敦。錢塘人。舉人。（乾隆）四十九年任。

龔雲鶴。營山人。貢生。（乾隆）五十三年任。

則端生之父玉敦，在乾隆四十九年至五十二年四年間，曾任職雲南。隨園詩話補遺叁載陳長生「聞家大人旋里」云：「去郡定多遮道吏，還山已是杖鄉人。」即玉敦解任歸杭州時所作，大約在乾隆五十二三年，長生寓京師時也。頗疑端生亦曾隨父往雲南，佩荃詩所謂「西南漸有聲」者，即指是言，而佩荃題詩之時間，亦當在玉敦任職雲南之時，復可推知矣。然則端生所謂「浙江一省徧相傳」者，意謂十六卷本之再生緣，浙江省已徧傳，而雲南則尚未之知也。寅恪更進一步懷疑佩荃詩所謂「七襄取次報章成」者，即端生在雲南所續之第壹柒卷再生緣而言。蓋再生緣前十六卷「浙江一省徧相傳」，則佩荃必早已見及。佩荃與長生交親往還，當又在長生處獲見

端生續寫第壹柒卷,故詩中遂及之耶?其所謂「女手摻摻勞永夜」者,疑指端生自述其撰前十六卷時,「向陽為趁三年日,入夜頻挑一盞燈」。(見再生緣第壹柒卷第陸捌回末節。)寫作甚勤,入夜不息。此佩荃讀第壹柒卷末節,已可知之,或又從長生處得悉其姊往日撰著之勤,因並有「勞永夜」之語歟?至於端生續寫再生緣第壹柒卷在甲辰年,即乾隆四十九年。此年端生居浙江抑寓雲南,鄙意此年端生似已隨父玉敦赴雲南,其所謂「白芍送臘」「紅梅迎春」等句,若「白芍」取譬「白雪」與「紅梅」為切當之對句,則亦不過詞人形容節物慣用之語,未必與當地真實氣候相符合。(可參下文論再生緣開始寫作年月節中「歲暮」之語。)但寅恪曾遊雲南,見舊曆臘盡春迴之際,百花齊放,頗呈奇觀。或者,端生之語實與雲南之節物相符應,亦未可知也。茲姑著此妄說,更待他日詳考。

假定陳端生於戴佩荃作織素圖次韻詩時尚生存者,則至何年始不在人間耶?此答案可以陳玉敦不肯以其父兆崙之詩文集出示他人之事,及兆崙之孫玉萬之子桂生請序家集於王昶(即玉敦不肯出示之人)之年,兩點推求之,雖不能中,亦不甚相遠也。

王昶春融堂集叁捌有陳句山先生紫竹山房詩文集序一篇,及兆崙之孫玉萬之子桂生請序家集於王昶(即玉敦草堂詩集序一篇,略云:「余以乾隆庚午(十五年)識君於吳企晉璜川書屋,文酒之會最密。嗚呼!自與吉人定交,迄今四十餘年,同遊諸君少長不一,皆莫有在者。」則自乾隆十五年下推

四十餘年，當爲乾隆末年，或嘉慶初年，即作春橋草堂詩集之年。紫竹山房集首所載蘭泉之序文，與陳桂生所刊紫竹山房集首所載蘭泉之序文，互相比較，發現頗有不同及刪削之處。茲節錄陳氏所刊紫竹山房集首之王序，並附注春融堂本此序之文於下，而略其不關重要者，讀者若察兩本序文之同異，即知其中必有待發之覆也。

紫竹山房詩文集載王昶序略云：

錢塘陳君桂生挾其祖句山先生詩十二卷文二十卷，（春融堂本作「詩四十四卷，文三十二卷。」）踵門而請曰，願有序也。戊寅（乾隆二十三年）始獲識先生於朝，繼以詩文相質，先生謂可與言者，時時引進之，是以辱有牙曠之知。丙申春余歸自蜀中，而先生前七年歿矣。（寅恪案，丙申爲乾隆四十一年，句山歿於乾隆三十六年辛卯正月二十四日，實止六年也。）求其集不可得，爲之悵然。又七年余修西湖志於杭州，竊念先生籍錢塘，西湖事蹟載於詩文必富，從其家求之，閟不肯出。（「閟不肯出」春融堂作「卒不可得」。）又王昶湖海詩傳陸陳兆崙詩選附蒲褐山房詩話云：「壬寅修西湖志於杭州，因索先生遺詩，而令子同知玉敦深閟不肯出。」及其孫桂生來京師，始以全集見示，並乞序言。」壬寅即乾隆四十七年也。）又三年（寅恪案，王蘭泉以乾隆五十一年授雲南布政使，見下引阮元撰王公昶神

寅恪案，湖海詩傳及湖海文傳之編選人王蘭泉，其人為乾隆朝詞宗，本與陳句山雅故，序中「辱有牙曠之知」一語殆非誇言。蘭泉修西湖志於杭州，玉敦為其地主。（此韓君平所謂「吳郡陸機為地主，錢塘蘇小是鄉親」之「地主」也。）及官雲南布政，玉敦又為其屬吏。蘭泉之索觀句山詩文，自是應有之事。以常情論，玉敦必非於蘭泉個人有所嫌惡，而深閟固拒，一至於是者，其中必具不得已之苦衷及難言之隱。蘭泉當時或不盡能瞭解其故，遂於序中猶言及之，蓋尚未釋然於懷也。玉敦既不肯以其父之詩文示蘭泉，十餘年後，桂生何忽轉以其祖全集請序於蘭泉？此中必有重大變遷。鄙意此十餘年間，句山集中所當避忌隱諱之事，已不復存在，故可刊佈流行。又請序於蘭泉者，即藉以解釋前此玉敦深閟固拒之舊嫌也。陳文述西泠閨詠詠端生詩序中言，「堉遇赦歸，未至家，而□□死」。是端生之卒與范某遇赦之時相距不遠。范某既遇赦，則句山集中詩文僅牽涉端生之名者，自己不甚重要。今觀春融堂集所載紫竹山房序文，知蘭泉當日所見之稿本，其詩文卷數多於刊本，其所刪削者，必甚不少。其所刪削者，當與端生堉范某之名有關也。范某之案在當時必甚嚴重，以致家屬親友皆隱諱不敢言及，若恐為所

牽累,端生之卒與范某之赦,兩事時間距離甚近,故可依蘭泉作序之年,推測范某遇赦之期,更可推測端生逝世之年也。蘭泉紫竹山房詩話又謂「桂生來京師,始以〔其祖〕全集見示,並乞序言」。則從蘭泉乾隆四十七年壬寅修西湖志於杭州之時算起,歷十餘年,蘭泉與桂生兩人同在京師,即此序作成之時,亦即范某赦免之後,其時上距端生逝世之年,當不甚久,此可依次遞推而得之者也。

王昶春融堂集附嚴榮編述庵先生年譜乾隆五十四年條下略云:

二月二十四日得旨授刑部右侍郎。〔三月〕初五日起程,二十八日抵京。

五十八年條下略云:

四月初一日〔出京回籍修墓〕。十二月初二日〔回京〕,赴宮門,召見,〔乞休〕,上允之,遂以原品休致。

五十九年條下略云:

四月初一日赴通州下船。〔回籍〕。七月二十三日抵家。

六十年條下略云:

十一月十八日〔赴京預千叟宴〕。十二月二十一日抵京。

嘉慶元年條下略云：

二月初一日〔出京〕。三月初五日歸家。

四年條下略云：

正月太上皇帝升遐。入都。二月二十九日至京。四月二十日〔出京〕。七月抵家。

十一年條下略云：

〔先生病逝〕，時〔六月〕初七日丑時也。

碑傳集叁柒阮元撰王公昶神道碑略云：

〔乾隆〕三十六年溫公福代阿公〔桂〕，移師四川，辦金川事，奉旨授吏部主事，從溫公西路軍進討，溫公屬公作檄，斥僧克桑罪，遂克斑爛山，進攻日耳寨。阿公奉詔由北路進兵，兼督南路。公復從阿公軍克小金川。僧克桑遁。澤旺降。進討大金川。三十八年夏溫公兵潰木果木，阿公亦退兵至翁古爾壟，冬大兵復進，小金川平。復從討大金川。四十一年三路兵合，索諾木等率眾投罪。於是兩金川地悉平。凱旋之日賜宴紫光閣，陞鴻臚寺卿。四十五年秋丁母憂，服除，補直隸按察使。五十一年授雲南布政使。五十四年擢刑部右侍郎。五十八年乞歸修墓，冬還京，以病乞休。嘉慶元年以授受大典至京，與千叟宴。四年純皇帝升遐，復至京，謁梓宮，夏歸清浦。十一年八十有三，

〔六月〕初七日卒。

耆獻類徵壹玖柒陳桂生傳略云：

陳桂生浙江錢塘人。由優貢生考取教習，期滿引見，以知縣用。嘉慶元年三月揀發湖北。四年題署大冶縣知縣。六年六月實授，九月陞安陸府同知。八年陞安陸府知府，九年丁母憂。十三年五月補荆州知府，十二月陞荆宜施道。

據上所引，自陳玉敦於乾隆五十三年由雲南返杭州後，王蘭泉共有三時期在北京。第一次為乾隆五十四年至五十九年。（此期間自五十八年四月出京回籍修墓，至十二月回京，此短時期可以不計。）第二次為嘉慶元年。（蘭泉於乾隆六十年十二月二十一日抵京，距除夕止數日，故此年可不計。）第三次為嘉慶四年。

第三次桂生正在湖北任職知縣，甚少機會至北京請蘭泉作序也。

第一次若從蘭泉乾隆四十七年在杭州修西湖志算起，至乾隆五十七年或五十八年，已十一、十二、十三年。蘭泉序中「十餘年」之語，自是可通。又桂生既「由優貢生考取教習，期滿引見，以知縣用。嘉慶元年三月揀發湖北」。光緒修清會典事例所載乾隆間制定優監事宜，未甚詳備。今取同書中同治間制定優貢事宜，並參以乾隆間制定拔貢事宜及官學規章等，綜合推計，以考定桂生到京之年月。

清會典事例叁捌伍禮部學校優貢優監事宜略云：

【乾隆】二十三年議准。嗣後保題之優生到部時，俟有四五名，本部奏請欽派大臣考試，分別等第進呈。其文理明通者，照例劄監肄業。

同治二年覆准。優貢一途，因無錄用之條，多未來京報考。嗣後量爲變通，由各該學政覈實選舉，會同督撫保題，赴部驗到，定期奏考。由閱卷大臣酌量多寡，比較錄取。其先後名次仍歸併定擬，由禮部帶領引見。考列一二等者，以知縣教職二項錄用。

同書叁捌肆禮部學校拔貢事宜乾隆元年條略云：

覆准。各學政選拔貢生，務秉公考覈。考列一等二等者，九卿會同揀選，由部引見，其中果有卓越之才，自仰邀簡用。其三等者，停其簡選，照例劄監肄業。凡宗學義學教習即於此中考取。三年期滿，以知縣銓用。

同書叁玖肆禮部學校八旗官學乾隆八年條略云：

奏准。官學漢教習，每人給印冊二本，該教習將三年內所教學生若千名，並學業功課詳細填注。俟期滿時，一冊交新教習收存，照例填注。一冊送監臣查覈。如實心訓課，著有成效者，列一等。其訓課勤謹，稍獲成功者，列二等。出具考語繕單引見。一等者可否用爲知縣。二等或用知縣，或用教職。恭候欽定，仍歸原班銓選。

寅恪案，桂生至遲在乾隆五十七年末，必已到北京。自有於五十七年或五十八年或五十九年請蘭泉作序之可能。然桂生此時既未決定往湖北，似不必請蘭泉作序，藉以求其介紹於湖北疆吏如畢沅輩也。

抑更有可論者，吾人今日觀此等禮部規定之具文，苟證以當時八旗官學之實況，即瞭然於官僚政治，凡所粉飾，多設科條，自矜整飭，不過供干祿求榮者之利用耳。良可嘆也。

第二次為嘉慶元年，此年距乾隆四十七年蘭泉在杭修西湖志時已及十五年，與蘭泉「十餘年」之語符合，固不待言。其最可注意者，即桂生於嘉慶元年三月以知縣揀發湖北一事。通常之例，揀發之省份，雖出自上命，實則亦可由己身志願，預為選定。故桂生表面上，以嘉慶元年三月揀發湖北，若無高級長官之知賞，恐將久滯官途。依昔日社會情形，往往請託當時顯要之與疆吏有舊者，為之介紹推見，桂生出身不過一優貢生耳。雖出自名家，亦工書法，(光緒間修杭州府志壹貳陸人物名臣胡琨撰陳桂生傳云：「學二王書，晚益工，政聲多為書名所掩云。」)然其時句山逝世既久，其祖平日交誼篤摯者多已零落。就當日湖北一省之長官中，其能與桂生之陞沈榮辱發生關係者，為湖廣總督及湖北巡撫等人而已。茲檢嘉慶元年前後任湖北巡撫及湖廣總督之汪新畢沅傳碑等，節錄之於下：

者獻類徵初編壹捌肆疆臣類叁陸載清國史館汪新傳略云：

汪新浙江仁和人。乾隆二十二年進士，改翰林院庶吉士。二十五年授編修。三十三年陞禮科給事中。三十四年轉戶科掌印給事中。三十五年充江南鄉試副考官。五十六年十一月調湖北布政使。六十年五月擢安徽巡撫，時楚省賊匪滋事，經惠齡以留辦軍需奏請。嘉慶元年六月諭曰，汪新在湖北督理軍需，已爲熟諳，著即調補湖北巡撫。三年四月卒於軍營。

同書同卷張雲璈撰汪公墓誌銘云：

公姓汪氏，諱新，字又新，號芳陂。

紫竹山房文集玖女史方芷齋詩集序略云：

老友方君滌齋(寅恪案，滌齋名宜照，錢塘人。)予未弱冠時同研席。有女曰芳佩，字芷齋，好學工詩。滌齋偕嫂夫人率女隨其夫汪編修又新任抵京。芷齋見過，致拜牀下。

王昶春融堂集伍貳畢公沅神道碑(參碑傳集柒叁)略云：

公名沅，字纕蘅，一字秋帆。曾祖諱祖泰，由休甯遷太倉，嗣太倉分縣鎮洋，遂爲縣人。乾隆十八年順天鄉試中式。又二年補內閣中書，直軍機處。二十五年成進士，以一甲第一人及第，授翰林院修撰。三十六年奉旨授陝西按察使。三十八年十二月授陝西巡撫。三十九年十二月丁張太夫人憂回籍。明年十月陝西巡撫員缺，奉旨著前往署理。五十年正月進

寅恪案，桂生家本與汪新家交好。其祖兆崙與新之夫人家交誼尤篤。兆崙於乾隆三十五年夏秋間嘗借寓汪氏在京住宅，桂生當亦隨其父祖居此。（詳見下文論端生撰再生緣節中。）故桂生宦遊湖北，汪新必不至略不照拂。然汪新已於乾隆六十年五月受命巡撫安徽，雖經惠齡奏請留辦軍需，未曾離省，然直至嘉慶元年六月，方始正式改授湖北巡撫。當桂生在乾隆六十年末或嘉慶元年春初，預備以知縣揀發湖北之時，汪新之去留尚不能預料。此事在桂生心中，汪氏雖可依恃，而不甚確定者也。故此時桂生若往湖北，捨巡撫外，則最有關係者，莫過於湖廣總督矣。當日任湖廣總督者為畢沅。秋帆乃乾隆朝宏獎風流之封疆大吏，亦嘗與陳句山有一日之雅，（見紫竹山房詩集壹貳送畢秋帆殿撰沅赴鞏秦階三路觀察任詩。）然句山與秋帆之關係，遠不及其與芷齋芍陂之密切，而桂生與秋帆又年位懸隔，當無深厚之交誼。職此之故，桂生當日在京求一與秋帆關係密切之人為之介紹者，實捨蘭泉莫屬。觀蘭泉所撰秋帆碑文中，蘭泉自述

其與秋帆之關係,明顯如此。蓋兩人同隸江蘇,同年鄉舉,同任軍機處章京,又同任陝西外職,歷年頗久,平時交好,最為親密。(文酒之會如湖海詩傳貳貳畢沅詩選載「集聽雨篷小飲」詩,可見一例。)秋帆身後,其子孫以隧道之文屬之蘭泉者,非無因也。由是言之,桂生之請蘭泉序其祖之詩文集,表面視之,雖頗平常。然察其內容,恐不甚簡單。後來汪畢雖逝,而桂生卒由湖北守宰,致位通顯,則此一序甚有關係。通習古今世變之君子,不得不於此深為嘆息者也。然則蘭泉於嘉慶元年二月即出都,其在京時間雖似短促,此時桂生既定計往湖北,實有請蘭泉作序之必要。故鄙意嘉慶元年為蘭泉作序最可能之年,而是年之前,端生已卒,范某已歸,從可知矣。

桂生請蘭泉作序之年,當以嘉慶元年為最可能,已如上所論。但范某赦歸之年,即端生逝世相近之年,則似距嘉慶元年較前,而與乾隆五十五年甚近。何以言之,范某非遇赦不能歸。依下文所引清高宗實錄,范某乃以乾隆四十五年順天鄉試科場案獲罪遣戍,自此年以後至嘉慶元年,清室共有高宗八旬萬壽及內禪授受兩大慶典,范某皆可援此等慶典邀赦得歸。據清實錄高宗實錄壹叄肆陸略云:

乾隆五十五年正月壬午朔以八旬萬壽,頒詔天下。詔曰,各省現犯軍流以下人犯,俱著減等發落。其在配軍流人犯,已過十年,安分守法,別無過犯者,著各省督撫,分別咨部查

照向例覈議,奏請省釋。

則范某若以犯罪之年算起,亦可云已過十年。若以到遣所之地算起,則似尚有問題。然依通常之例揣測,當可從寬援引此恩詔赦歸也。但據詔文,仍須咨部覈議及奏請省釋等手續觀之,則范某因公文往復,程途遙遠及經費籌措等問題,其歸家,早則在乾隆五十五年下半年,遲則在五十六年上半年也。據陳文述云:「婿遇赦歸,未至家,而□□死。」儻使范某果援此八旬萬壽慶典赦歸,則端生之死當在乾隆五十五年或五十六年也。

若范某不能援引乾隆五十五年八旬萬壽慶典赦歸,則端生之死當在乾隆五十五年或五十六年也。

以言之?據清實錄仁宗實錄壹百嘉慶元年正月戊申朔太上皇傳位慶典恩赦詔書略云:

各省軍流人犯,查明到配三年,實在安靜守法,及年逾七十者,釋放回籍。

則此次赦罪之規定,較乾隆五十五年高宗八旬萬壽慶典赦罪之規定,大為寬簡。范某即使不能於乾隆五十五年下半年或五十六年上半年,援八旬萬壽慶典恩赦獲歸,則必可於嘉慶元年邀授受慶典恩赦獲歸。此所以決定端生之年壽,不能超過嘉慶元年之理由也。據其祖句山紫竹山房文集壹伍冢婦行略略云:

〔乾隆〕庚午(十五年)秋玉萬與次兒玉敦忝與鄉薦。明年(乾隆十六年辛未)正月長孫女端兒生,次子婦出也。

是端生生於乾隆十六年,下推至蘭泉作序第一可能之年,即乾隆五十七、八、九年,則端生之壽不能超過四十四歲。若范某援乾隆五十五年清高宗八旬萬壽慶典赦歸,則端生之壽當為四十歲或四十一歲。鄙意此期限之可能性最大也。若自乾隆十六年即端生生年下推至蘭泉作序第二可能之年,即嘉慶元年,則端生之壽,不能超過四十六歲。鄙意端生之逝世,似不應遲至此年,而以在此前四五年為最合事理也。

又如上述,端生之逝世,必在嘉慶元年以前。又據上引陳長生輓戴佩荃詩「說與圖中纖素人」句,知乾隆五十四年秋間佩荃逝世時,端生猶在人間,其年為三十九歲。則端生之年壽,無論如何,至少為四十歲,至多不能超過四十五歲。總以四十歲或四十一歲為最可能也。自昔才人多為短命,端生雖不至上壽,然猶及中年,未可謂甚不幸也。

桂生請蘭泉作其祖詩文集序時,端生已死,范某已歸,自不待論。至玉敦是否健存,今雖不能確知,但據紫竹山房詩文集首所載之顧光撰陳兆崙墓誌銘,知乾隆四十六年十一月兆崙葬時,玉敦已卒。又據同集首所載之郭麐撰兆崙神道碑文,(此文作成之時距兆崙之葬為二十三年。)玉敦尚健在者,范某之案既得解除,玉敦亦不必如前此之不肯以其父之詩文集示人及刊行也。又前已論及桂生當日請蘭泉作其祖集序時,其持示蘭泉之稿本,卷數較刊本為多。泉作序時,玉敦猶存。

桂生所以刪削之故，雖不敢確言，但必因端生嫁范某之關係無疑。桂生既大加刪削，則此集之刊佈，縱使玉敦尚在，亦可不反對。或者桂生請作序時，玉敦已卒，而桂生更加刪削者，豈由長生及其他親友尚有不滿意者在耶？春融堂集本所載序文亦不同於蘭泉當日交付桂生之原稿者，殆以中多語病，致招陳氏親友之非議，遂亦不得不重改定耶？

長生寄外詩云：「縱教裘敝黃金盡，敢道君來不下機。」自命不作蘇秦之婦。觀其於織素圖感傷惓戀，不忘懷端生者如此，可謂非以勢利居心，言行相符者矣。嗚呼！常人在憂患顛沛之中，往往四海無依，六親不認，而繪影閣主人於茫茫天壤間，得此一妹，亦可稍慰歟？

又於頤道堂外集陸（碧城仙館詩鈔玖）題繪影閣集四律第二首詩中文述自注亦言「端生適范氏，嫁文述於西泠閨詠壹伍繪影閣詠家□□詩序中言端生嫁范某乃諸生，以科場事為人牽累謫戍。」則欲考范某一案，必於乾隆朝鄉試科場案中求之，因范某為諸生，不能關涉會試也。乾隆紀元凡六十年，舉行鄉試次數頗多，其與此案有關者，必在四十七年以前，三十九年以後，所以決定此後前兩時限者，實有特殊人事之關係。觀乾隆四十七年王昶在杭州修西湖志時，陳玉敦不肯以其父之詩文集示蘭泉，即知范某之案必已發生於此年以前，此後一時限定於乾隆四十七年之理由也。所以知此案必在乾隆三十九年以後者，即因端生於再生緣第壹柒卷首節云「錦瑟喜同新好合，明珠早向掌中懸」及「未酬夫子情難已，強撫雙兒志自堅」。則是端生結

婚後一年即產一女,隔數年,又產一兒。其間或雖產兒而不育,要之,必有數年之間隔,否則不得用「早」字也。關於此點又須推測端生適范某之年月。

又言「辛丑旋南首夏天」,是其母汪氏卒於乾隆三十五年七月,而其父玉敦正在山東登州府同知任內也。

又言「辛丑旋南首夏天」,據紫竹山房詩文集所附年譜,其家因此南歸原籍杭州也。端生為在室未嫁之女,依當時禮律,應服母喪三年,解登州府同知之任,而其父玉敦丁父憂,實即二十七個月。故端生應服祖父服朞年,故於乾隆三十七年正月末除祖父服。但其父玉敦之除父喪,以乾隆三十八年有閏三月之故,應在三十八年閏三月末。

依當日社會情況言,錢塘陳氏既為士大夫禮教之家庭,除其壻范氏一方面有何問題,今難考知,可不計外,則端生結婚之期縱可勉從權變,或得在除其母汪氏服,即乾隆三十七年十月之後,然總以其父玉敦除端生祖兆崙之服,即乾隆三十八年閏三月末之後,方合禮法也。又據紫竹山房文集壹伍冢婦吳氏行略云:

〔乾隆〕庚午(即乾隆十五年)秋玉萬與次兒玉敦丞與鄉薦。明年(乾隆十六年辛未)正月長孫女端兒生,次子婦出也。

是端生於乾隆三十七年十月除母服時,年已二十二歲,其父玉敦於乾隆三十八年閏三月末,除其父兆崙服時,端生年已二十三歲矣。當時女子通常婚嫁之期,大抵不逾二十歲,端生婚期實

已嫌晚,而非更別有不得已之故,不宜再延。故端生適范某之年月,至早在乾隆三十七年冬間,至遲亦不能在乾隆三十八年冬季以後也。若依當日社會風俗推論,要以乾隆三十八年玉敦除其父喪後,端生始適人,於禮法及情勢為最妥便。職此之故,鄙意假定乾隆三十八年夏季至冬季的時間為端生適范某之年月,雖不能中亦不遠矣。若端生於乾隆三十八年結婚,三十九年產一女,此後數年間復產一兒,則范某之案不能發生於三十九年以前,此前一時限定於乾隆三十九年之理由也。

今考清代史乘,乾隆三十九年後,四十七年前,共有四十二年丁酉,四十四年己亥,四十五年庚子三次鄉試,而四十五年恩科順天鄉試適發生科場舞弊之案。此案清高宗實錄乾隆四十五年八月及九月凡有五次記載,(其第一次可參清會典事例叁肆壹禮部伍貳貢舉整肅場規乾隆四十五年諭。)其文頗繁,茲僅節錄其最有關者,並附論釋於下。憶二十餘年前整理明清內閣大庫檔案,編輯明清史料,見乾隆朝三法司檔案甚多。當時未能詳檢,不知其中是否有與此案有關之文件。今此項檔案盧溝橋事變後已不在原處,暫不能查閱。又故宮博物院清軍機處奏鈔上諭檔中復有關於此案之文件,據司其事者云:「此項材料南運未返。」則其與清高宗實錄詳略同異如何,亦無從比較也。

清實錄高宗實錄壹壹壹叁略云:

四二

〔乾隆四十五年九月〕甲申又諭曰：刑部審訊鄉場傳遞文字之謄錄陳七等一案，將陳七擬絞監候，其代倩作弊之恒泰春泰范荽陶雲鶴發往烏魯木齊，不能禁約子弟之勒善陶淑均交部嚴加議處等語。此案科場傳遞積弊聞之已久，但總未經發覺，姑未深究。今陳七等既經拏獲，若不力為整頓，使之懲儆，則舞弊營私，將何底止。此案陳七一犯，包攬得贓，藐法無忌，實為罪魁，問擬絞候，自屬法無可貸。恒泰春泰著削去旗籍，與范荽陶雲鶴一並發往伊犁，給種地兵丁為奴。其勒善陶淑均即著革職，以為科場舞弊玩法者戒。

同書高宗實錄壹壹壹肆卷云：

〔乾隆四十五年九月〕丁亥諭：鄉試為掄才大典，欲拔真才，先清弊竇。本年順天鄉試，經搜檢王大臣奏，拏獲懷挾傳遞及頂名代倩，不一而足。各犯已交部從重辦理，用昭炯戒。何況外省稽察搜查，斷不能如京師之嚴密。該巡撫等職任監臨，摘弊防奸，是其專責。乃歷年披閱各該撫奏摺，惟今年富綱（寅恪案，清史稿貳佰捌疆臣年表陸各省巡撫表載乾隆四十五年富綱任福建巡撫。）奏稱，先於場前訪查積習，出示禁諭，併增築夾墻，另開更道，於擡運人夫，逐加搜檢，印用號戳，並不假手吏胥等語。辦理較屬認真，此外則均以三場無弊一奏塞責，未見有查出懷挾傳遞頂冒之事。豈作奸犯科者，惟順天有之，而各省竟俱弊絕風清如此

平?實因各撫臣模稜市譽，不肯認真任怨耳。夫取怨於作奸犯科之人，亦何妨乎？嗣後各省巡撫，凡遇大比之期，必須實力稽察，慎密防閑，如有前項弊端，即當立時查獲，嚴加究治，從重覈辦，務令闈中積弊肅清，士子懷刑自愛，庶足以甄別人材，振興士習。將此通諭知之，並令於每科引此旨覆奏，著為例。

寅恪案，端生之壻范某是否即范菼，今難確定。然乾隆三十九年以後，四十七年以前，三次鄉試科場中，惟此次發生作弊之案。據高宗諭中「歷年披閱各該撫奏摺」之語，則是至少此年以前數年，未有作弊案發生，更可推知。此案中之范菼乃由陳七口供牽累，既與陳文述所言者相合，又其罪為發往伊犁，亦與端生壻之事相符。今未發見明確之反證，不得不暫假定范菼即端生之壻范某也。綜觀高宗屢次御旨，知其意在嚴懲窮究，廣肆株連，並通諭全國，凡遇科試之期，負監臨之責者，須引此旨覆奏，永為定例。則此案性質嚴重，一至於是。當日陳氏親友惴惴畏避，若恐被其牽累，遂不敢略一涉及端生者，非無因也。

復次，清代江浙士人因長洲韓元少掇高科享盛名之故，往往喜用其名，以「菼」為名。「菼」既是單名，「范」亦非僻姓，則乾隆之時，江浙地域同稱「范菼」者，當不止一人。今翻檢當時史料，發現有二「范菼」者，其人乃陳兆崙交友范璨之子。（見紫竹山房詩集叁書榜自注，同書捌呈范侍郎奠文燦前輩即送歸禾中二首自注及文集捌湖北鄉試錄序又陳句山先生年譜乾隆六年辛酉

條。寅恪案,范氏之名及字,今所見諸種材料,往往不同。其名當以作「璨」為是,蓋清高宗實錄壹叁貳乾隆五年十二月戊戌條及同書壹捌柒乾隆八年三月庚午條,清史稿壹同年月日條,清朝進士題名碑雍正二年甲辰科姚璨條,清國史館范璨傳,陸燿范公神道碑等,皆作「璨」也。惟清史稿貳佰捌拾疆臣年表引范氏之名引范氏年表作「燦」,與本書高宗紀自相違反,殆吳廷燮撰表時未詳察耳。紫竹山房詩文集及所附年譜引范氏之名共有三處,僅文集捌作「璨」,餘二處均作「燦」。至范氏之字,諸材料均作「電文」,而紫竹山房詩文集及所附年譜則俱作「奠文」,不似誤寫,未知何故,殊可注意。他若諸地方志於范氏之名往往或作「璨」,或作「燦」,以其取材不同所致,可不深論。然其可能性固大,可疑之點亦多。茲略引史料稍辨釋如下:

陸燿切問齋集拾資政大夫工部侍郎范公神道碑(參王昶湖海文傳伍拾陸陸燿文選及碑傳集叁貳陸燿撰范公璨神道碑)略云:

乾隆辛巳之歲,恭逢聖母皇太后七旬萬壽,上命文武廷臣及予告在籍年七十以上者各九人,賜遊香山,製九老詩以寵之,時則資政大夫工部侍郎松嚴范公與焉。蓋公自丙寅蒙恩致仕,至是以慶典來朝,獲厠者英之會,朝論榮之。越六年丙戌十二月,有司以公卒聞,諭祭如例。以某年月日葬公於木瀆之阡。公諱璨,字電文,一字約軒,其曰松嚴者,以上賜「松嚴樂志」額,因以為號也。系出宋文正公長子監簿公純佑之後,公登康熙癸巳鄉薦,

雍正甲辰進士,改庶吉士。〔後〕巡撫湖北安徽。入爲都察院副都御史,工部侍郎,旋以兩親尚在淺土,特疏請,遂得蒙恩卜葬,並許歸田。居平益以盛滿爲戒,潔清之操,晚節彌勵,菜羹蔬食,不異貧寒。公既貴顯,讓宅於從父兄弟,而自卜居於吳興之南潯。其卒之年距生於康熙庚申,享年八十有七。配孫夫人。子二人,儀薰,國子監生,葵,貢生,皆先公卒。孫三人,塏、城、墥,皆國子監生。女二人,孫女二人,皆適士族。曾孫男女十四人。予於公爲鄉後學,塏又姻也。(寅恪案,爾雅釋親云「塏之父爲姻」。然則燿之女適塏之子也。)以公隧道之文來請,因敍其世次歷官行誼,而系以銘。

李桓耆獻類徵初編柒陸卿貳類叁陸載清國史館范璨傳略云:

范璨浙江秀水人。雍正二年進士,改翰林院庶吉士。〔乾隆〕五年遷湖北巡撫。八年三月調安徽巡撫。九年六月召還京,九月授都察院左副都御史。十年五月遷工部左侍郎。十一年請假回籍,尋以年老休致。三十二年卒。(寅恪案,璨實以乾隆三十一年十二月卒。李桓者獻類徵此卷出自清國史館列傳原本,蓋官書所記,乃從賜祭葬之年耳。)尋賜祭葬。

范來庚南潯鎮志貳建置志居第門載:

九老第。(原注:在東柵大街。范司空璨致仕所居。欽賜「香山九老」,故名。)樂志第。(原注:在東柵皇御河。少司空松巖公子貢生范葵所居。御書「松巖樂志」匾,故名。寅恪

光緒七年修烏程縣志貳叄寓賢略云：

范璨字電文，號約軒，晚號松巖。榜姓姚。（寅恪案，清朝進士題名碑雍正二年甲辰科載：「二甲三十五名姚璨，浙江秀水縣。」）世家吳江之麻源九曲里。秀水籍。既貴顯，讓宅於從父兄弟，而移家烏程之南潯，其居在東柵大街者，曰九老第，復構樂志堂於皇御河西，恭奉御書「松巖樂志」匾額。三十一年卒，年八十七，賜祭葬。著有樂志堂集、露清篇。（蘇州府志、南潯志、切問齋集范公神道碑。）

寅恪案，陳兆崙與范璨既同朝雅故，復同鄉里，門戶四對。范氏為秀水人，與端生外祖汪上塪同縣，其家又寓烏程之南潯鎮，與端生妹長生夫家葉氏同居湖洲。據端生再生緣第壹柒卷首節「更忻夫壻是儒冠」之語，復與貢生之資格相符及鄉試科場有關，則范菼即陳端生之夫范某，可能性甚大。但范璨既卒於乾隆三十一年末，而端生之適人，如上文所推論，當在乾隆三十八年，其時璨子菼已先璨卒，此可疑之點一也。又乾隆四十五年順天鄉試一案，范菼始獲罪遣戍，時間又更在三十一年范璨卒年之後，此可疑之點二也。説者或謂陸燿碑文菼已「先公卒」之語，蓋有所避忌而改易，然再生緣第壹柒卷首節端生自言「幸賴翁姑憐弱質」，則端生適范某之初，其翁仍健存，而范璨已卒於乾隆三十一年末，此時端生尚在閨中，斯豈可通

耶？若欲勉強認定范璨之子荄即是端生之夫，則必須有兩項假設。（一）陸燿「子二人，儀薰、荄，皆先公卒」之語，乃是諱改。考陸郎夫卒於乾隆五十年六月二十三日。（見碑傳集柒叁馮浩撰陸君墓誌銘。）是此碑文作成之年月不能後於此時限。四十六年十一月丁母憂。四十七年十二月奉旨往山東辦理運河隄務。（見耆獻類徵壹捌叁清國史館陸燿傳。）揆以通常情事，陸氏撰此碑文當在以母疾乞歸居家時。（陸氏此時實居浙江秀水，而不在江蘇吳江。見馮浩撰陸君墓誌銘。又范氏本秀水籍。紫竹山房詩集捌「呈范侍郎奠文燦前輩即送歸禾中」三首。其所謂「禾中」，即指秀水言也。）因范荄之案發生於乾隆四十五年秋季，上距陸氏之丁母憂，其間尚有一年餘之久，但在母喪中，恐不便受范氏之請，作此碑文。又今陸氏所撰切問齋集，雖不編年月，而此碑文之後即接以「保德州知州錢之青墓碣」。此碣文乃燿任湖南巡撫時所作。（耆獻類徵壹捌叁清國史館陸燿本傳略云：「〔乾隆〕四十九年七月擢湖南巡撫。五十年六月卒。」）以篇章排列次序先後言之，則此碑文作成之時，下距郎夫之卒甚近。其在乾隆四十五年六月范荄案發生之後，更可推知。然則碑文之諱改，自是可能之事也。又依常例言，神道碑文之作自當在已有墓誌銘之後。今檢清代載籍，關於范璨身後之文，唯見陸燿所撰神道碑一篇，而未發見有墓誌銘。豈范松巖實曾有墓誌銘，乃其太親翁陳句

山所撰,後為陳桂生所刪削,遂致不傳耶?姑記此疑,更俟詳考。(二)范茭既非璨之長子,自有出繼之可能。如陳兆崙以其次子玉敦出繼其弟兆嵋之事,即可為證。(見紫竹山房文集壹伍仲弟眉山行略。)果爾,則端生書中所謂之「翁」,乃茭出繼之父,亦即璨之弟也。然歟?否歟?非所敢確言也。

至於范璨神道碑文撰者陸燿,其與陳端生父玉敦之關係,亦有可述者。燿與玉敦同於乾隆十九年以舉人考授內閣中書。燿又於「乾隆」三十五年八月選雲南大理府知府,以親老改補近省,十二月調山東登州府知府。三十六年調濟南府知府」。(見耆獻類徵壹捌叁清國史館陸燿傳及紫竹山房集附載陳句山先生年譜乾隆十九年甲戌條。)則燿亦與玉敦同時同官山東登州。但史文簡略,不知燿是否未到登州,即改調濟南耳。若燿果一蒞登州者,則玉敦雖於乾隆三十六年正月丁父憂,然端生實於此年四月始返杭州。(再生緣第壹柒卷第陸伍回首節「辛卯旋南首夏天」。)則燿之家庭如亦同在登州者,或尚可與端生相見。燿於范塏為姻親,雖不知始於何時,但吳江乃范璨原籍,即上引燿撰碑文中所謂「予於公為鄉後學」者。燿又與陳氏友好,豈端生與范茭之婚姻,即由陸氏所介紹耶?此乃大膽之妄測,殊不敢自信者也。

抑更可論者,范璨以乾隆三十一年卒,其年八十七。假定其在六七十歲間生子茭,則端生與茭

結婚時，菼年當為三十餘，而端生如上所論，已二十三歲。以當日社會婚嫁年齡常情推之，菼當是繼娶無疑。璨有孫三人，孫女二人，不知其中孰是端生所生者，今亦不可考知矣。總而言之，未見陳范兩氏家譜以前，端生夫壻問題實一懸案，不能滿意解決也。（寅恪初疑陳端生之夫范某為乾隆時因收藏顧亭林集獲罪，議遣戍，而被赦免之范起鳳。後又疑為乾隆間才女陳雲貞之夫，以罪遣戍伊犁之范秋塘。搜索研討，終知非是。然以此耗去目力不少，甚可嘆，亦可笑也。）

至於乾隆四十五年順天鄉試科場一案，其中獲罪諸人，除范菼以外，亦略有可論者。此案主犯陳七必有真實之名，當時諭旨及刑部奏疏僅稱「陳七」者，蓋承辦此案之法官不欲多所牽連，故遂隱去其真名，而逕以排行之稱謂著之公牘耳。陳七之名今既無可考，茲可不論。若恆泰春泰二人自是兄弟。高宗諭旨既言「削去旗籍」，又特改部議發往烏魯木齊為發往伊犁，則此二人當是與烏魯木齊有關之旗人無疑。勒善以不能禁約恆泰春泰二人革職，則其人必是恆泰春泰之家長。據此諸端推論，今於清代史料中，發現一勒福，頗合上列條件。然仍有疑義，尚待詳考。茲姑引史料，略辨釋之於下︰

耆獻類徵初篇叁貳貳將帥類陸貳載清國史館勒福傳略云︰

勒福初名勒善。哩那氏，蒙古鑲藍旗人，吐魯番駐防。由委前鋒校於乾隆五十八年派赴葉

爾羌戍守一次。〔道光〕十五年二次俸滿,經烏魯木齊都統長清保薦,由兵部帶領引見,得旨:「勒善著更名勒福。」二十年以年力就衰,命原品休致。二十三年卒。子祥泰驍騎校。

寅恪案,勒福本名勒善。清宣宗何以特改其原名,今不能詳知。然其原名必有所避忌,自無可疑。其人既屬吐魯番駐防,又經烏魯木齊都統長清保薦,似恆泰春泰之由發往烏魯木齊改為發往伊犂者,其理由或即在此。雖然,此勒福是否即乾隆四十五年順天鄉試科場案中之勒善,尚難斷定。因傳言勒福於道光二十年,以年力就衰致仕。則此時其年齡必已老邁,可以決言。若上推至乾隆四十五年,其間距離已有六十年之久,故乾隆四十五年順天鄉試科場案之時,其人之年齡至多亦當為二十歲上下,其所生之二子,至多亦不過數歲。縱此二子俱為「小時了了」之神童,然順天鄉試非神童特科,如此幼小年齡絕不能入闈應試。由是言之,恆泰春泰必非勒福之子可知。但此勒福之子,其名為祥泰。以「泰」字為名,明是與恆泰春泰為兄弟排行。否則天下恐無如此巧合之事也。頗疑恆泰春泰乃勒福之姪,而非其子。諭旨中所謂「不能「禁約子弟」者,乃泛指家長而言,非謂恆泰春泰即其子或弟也。陶雲鶴今無可考。惟有陶淑者,據清朝進士題名碑,乾隆二十二年丁丑科二甲二十九名為陶淑。其人乃江西南城縣籍,雖名列等次頗高,然未入翰林館選,(參光緒修江西通志叁貳及叁肆選舉表及光緒補道光修建昌府志柒之肆選舉表,並南城縣志柒之貳。)以州縣外職終老。此陶淑之仕宦年代甚合陶雲鶴父之條件。但

今所見史料殊為簡略，不易決定此陶淑果是乾隆四十五年順天鄉試科場案中有關之人與否也。詳檢清代史傳，陶姓淑名者，固不止一人。然時代相當，其他條件亦符合而又不為女性者，實止有江西南城陶淑一人。茲節錄地方志之文，略辨釋之於下。

南城縣志捌之貳官業陶淑傳（光緒補道光修建昌府志捌之玖貳官續拾）略云：

陶淑字作人，號秋山，南城人。乾隆癸酉中式北闈鄉試。丁丑成進士。選授盧龍令。遷臨榆。調衡水。陞保安知州。以事詿誤。補棗強令。內艱服闋。補陝西麟遊令。前後服官四十餘年。性耽吟詠，公暇與僚屬相倡和，不以宦遊偃蹇介意也。著有秋山詩集。（參光緒修江西通志壹壹壹壹藝文略集部伍別集。又南城縣志玖之陸藝文中載陶淑姑山吟七古一首。）

寅恪案，陶淑傳中言其任保安州知州時「以事詿誤」，而不明言其為何事。但據乾隆修衡水縣志首載陶淑序（此序所署年時為乾隆三十二年丁亥季秋）云：

淑既受命衡水之五年，乃克纂輯縣志，勒成一書。

道光修保安州志伍職官表知州載：

陶淑。（字秋山。江西南城。進士。重修州城。乾隆三十九年任。）

嘉慶修棗強縣志伍職官表知縣乾隆四十五年任者凡四人：

范清濼。（監生。署。）

李能聰。（廣東四會縣。貢生。乾隆四十五年任。）

范安仁。（署任。四川成都人。拔貢。）

陶淑。（江西南城人。丁丑進士。）

黃應隆。（署任。湖南寧鄉人。副榜。）

蒯祖炳。（江蘇吳江人。監生。）

可知陶淑任保安州知州「以事註誤」，當在乾隆四十五年。既在四十五年，則是陶雲鶴之父，又可確定矣。總而言之，此科場案發往伊犁罪犯四人中，恆泰春泰本是駐防烏魯木齊之蒙古族，當不工於代古聖立言之八股文及頌今聖作結之試帖詩。（如戚本石頭記第壹捌回「慶元宵賈元春歸省，助情人林黛玉傳詩」中林黛玉代倩作弊，為其情人賈寶玉所作「杏簾在望」五律詩，其結語云「盛世無飢餒，何須耕織忙」，及第伍拾回「蘆雪庵爭聯即景詩，暖香塢雅製春燈謎」中李紋李綺所聯「即景聯句」五言排律詩，其結語云「欲誌今朝樂，憑詩祝舜堯」等即是其例。又悼紅軒主人極力摹寫瀟湘妃子，高逸邁俗，鄙視科舉，而一時失檢，使之賦此腐句，與燕北閒人兒女英雄傳第叁拾回「開菊宴雙美激新郎，聆蘭言一心攻舊業」中渴慕金花瓊林宴及

誥封夫人，而行酒令之十三妹比觀，不禁為林妹妹放聲一哭也。）陶雲鶴既為乾隆二十二年丁丑科進士陶淑之子，若范菼之父又為樂志堂主人，則雲鶴及菼二人俱屬科舉出身之家庭，代倩作弊，頗為可能。所可注意者，勒善陶淑以恆泰春泰陶雲鶴之故，牽連獲罪，而范菼之父未聞累及，其人必已早死無疑。即使范菼雖已出繼，但就菼父不被累及一端言之，亦可旁證此案中之范菼，即是烏程縣南潯鎮樂志堂之少主人也。

茲論陳端生生卒年月及其壻范某事蹟之可考者已竟，請論端生撰再生緣之年月及地點如下：

再生緣第壹卷第壹回云：

閨幃無事小窗前，秋夜初寒轉未眠。燈影斜搖書案側，雨聲頻滴曲欄邊。閒拈新思難成句，略撿微詞可作篇。今夜安閒權自適，聊將彩筆寫良緣。

以上為端生自述其初撰再生緣之年月也。然未明言是何年，又止言「秋夜初寒」，亦不注明何月。據此書第玖卷第叁回云：

五月之中一卷收，因多他事便遲留。停毫一月工夫廢，又值隨親作遠遊。家父近將司馬任，束裝迢遞下登州。

是從端生父玉敦赴山東登州府同知任期，逆數至前一年，即再生緣開始寫作之年也。據端生祖

兆崙紫竹山房詩文集附陳玉繩所撰句山先生年譜云：

〔乾隆〕三十四年前一年即三十三年，先生次子玉敦以中書改官山東登州府同知。

然則乾隆三十四年八月，乃再生緣開始寫作之年既定，開始寫作之月為何月乎？據再生緣第貳卷第伍回首節略云：

仲冬天氣已嚴寒，獵獵西風萬木殘。短晝不堪勤繡作，仍爲相續再生緣。

是第貳卷開始寫於乾隆三十三年仲冬十一月。但第壹卷第肆回末節云：

書中雖是清和月，世上須知歲暮天。臨窗愛趁朝陽暖，握管愁當夜氣寒。

所謂「歲暮」者，實指冬季或即孟冬之月，其前一卷絕無寫於「歲暮」十二月之理也。否則第貳卷明言開始寫作於仲冬十一月，「晝短」即包含冬至之月，故「歲暮」二字，不可拘泥誤會。既是孟冬十月寫成第壹卷，則第壹卷首節所謂「秋夜初寒」者，殆指季秋九月而言。據句山先生年譜乾隆三十三年戊子條下略云：

先生以先世兆域未卜，九月命長子（玉萬）隨侍周夫人率眷屬南還。次子（玉敦）官中書，六年俸滿，奉旨記名外用，留京供職。

可知乾隆三十三年九月間，端生之祖母周氏及伯父或伯父之妾林氏等（玉萬有妾林氏，即安生春生桂生之母。見紫竹山房文集壹伍冢婦吳氏行略及壹捌先府君〔暨〕先妣沈太夫人合葬墓

誌。)皆已回杭州。京寓中人少事簡,而端生以長孫女之資格,平日所應擔負之家務亦因之稍減,可以從事著作。其自謂「閨幃無事」乃是實情,故可推定再生緣開始寫作於乾隆三十三年九月也。

開始寫作年月既定,開始寫作地點為何處乎?復據句山先生年譜乾隆三十四年己丑條下略云:

正月二十二日出京。

又乾隆三十五年庚寅條下略云:

五月假滿赴闕,時長子(玉萬)亦謁選,隨侍入京。是月(八月)長子(玉萬)選授山東濟陽縣知縣。先生初至京,借寓汪芍坡給諫(新)宅。九月杪移歸外廊營舊宅。

可知陳兆崙全家本居北京外廊營舊宅。乾隆三十三年九月,端生父玉敦一房隨侍端生祖母率眷屬先回杭州。三十四年正月,端生祖父又返原籍。同年秋間,端生伯父隨侍端生祖母率眷屬先回五月兆崙率玉萬等返京之後,不遄回外廊營舊宅,而借寓汪芍坡(新)宅者,當由此時汪氏以戶科給事中充江南鄉試副考官,故兆崙等得於是年夏秋時間借寓汪宅。至於陳汪兩家之關係,則汪芍坡與兆崙同是杭州人,其夫人方芷齋(芳佩)之父滌山(宜照)又為兆崙卯角舊友,觀紫竹山房詩集壹拾方滌山為塤汪編修(新)迎至邸寓七律,可以推見也。然則兆崙於乾隆三十五年九月遷回外廊營舊宅,其子玉萬玉敦兩房皆已往山東,(寅恪以為玉萬玉敦本為同胞兄弟,雖據紫

竹山房文集壹伍仲弟眉山行略,玉敦曾出繼其胞叔父兆嵋,仍是同祖兄弟。但此次兄弟二人,同官山東,據陳句山先生年譜乾隆三十五年庚寅條,後又同官江南,其所以不迴避同省者,蓋由同知及知縣之官秩皆在道府以下,與前引楊芳燦事例不同也。)不復寓外廊營矣。但外廊營舊宅實是再生緣發祥之所,故為最有價值之地,蓋端生撰再生緣自第壹卷至第捌卷即自乾隆三十三年九月至三十四年五月皆在北京外廊營舊宅。此宅是否即王蘭泉紫竹山房詩文集序中所指之宅,今雖不能確知,但序文中「入其家,衡門兩版,凝塵滿席」之語,恐能適用於兆崙在京所居之諸宅,(兆崙在京所居之宅今可考知者,尚有粉房琉璃街,買家衚衕,鐵老鸛廟巷,棉花衚衕,虎坊橋等地。可參光緒修順天府志京師志壹肆坊巷下。)其皆非宏麗,可以推知也。端生於再生緣第壹柒卷第陸伍回首節云「追憶閨中幼稚年」及「隔牆紅杏飛晴雪,映榻高槐覆晚烟」,雖似指登州同知官舍而言,然「紅杏高槐」乃北方所常見,本非限於一地,若視作描繪外廊營舊宅之語,則於久客長安,習知城南坊宅情況之人,更覺端生此言,親切有味,亦不必過泥至認為止可適用於牟子舊邦(再生緣第壹肆卷第伍陸回末節云:「錦綺裝成牟子國。」)景物之描寫也。再生緣第玖卷至第壹陸卷,寫端生自乾隆三十四年八月中秋起至三十五年三月春暮止,在登州同知官舍內所寫。此八卷約經七月之久寫成,雖端生自云「前幾本,雖然筆墨功夫久,這一番,越發芸緗日月遙」,(見再生緣第壹陸卷第陸肆回末節。)其實依端生撰寫第捌卷以前之

平均速度計之,並非遲緩。此不過詞人才女感慨為謙之語,讀者不宜拘執也。或者端生此時早已見及其母汪氏之病漸已增劇,又己身不久亦將于歸,人事無常,俗累益重,所以日夜寫作,猶恐遲緩,其於再生緣第壹柒卷首節所謂「由來蚤覺禪機悟」者,殆亦暗示此意耶?此一段時期為端生一生最愉快之歲月。再生緣第壹柒卷首節所謂「地鄰東海潮來近,人在蓬山快欲仙」,〔蓬山〕蓋兼指登州府蓬萊縣。古典今事合為一詞,端生才華於此可見一斑也。)即端生於乾隆四十九年甲辰續寫再生緣時,追憶此時期生活之語也。茲不詳述此時期每卷寫作之年月,僅迻錄其第玖卷開始寫作時及第壹陸卷完成時之記載,略加詮釋於下。

再生緣第玖卷第叁叁回首節略云:

家父近將司馬任,束裝迢遞下登州。行船人褥仍無褥,起岸匆匆出德州。陸道艱難身轉乏,官程跋涉筆何搜。連朝就擱出東省,到任之時已仲秋。今日清閒官舍住,新詞九集再重修。這正是,光陰如駿馬加鞭,人事似落花流水。

轉眼中秋月已殘,金風爭似朔風寒。欲著幽情無著處,從容還續再生緣。

又同書第壹陸卷第陸肆回末節略云:

起頭時,芳草綠生纔雨好,收尾時,杏花紅墜已春消。良可嘆,實堪誇。(寅恪案,疑當作「謝」。)流水光陰暮復朝。別緒閒情收拾去,我且得,(寅恪案,坊間鉛印本「得」作

「待」，似更佳。）詞登十七潤新毫。

寅恪案，端生雖是曹雪芹同時之人，但其在乾隆三十五年春暮寫成再生緣第壹陸卷時，必未得見石頭記，自不待言。所可注意者，即端生杏墜春消，光陰水逝之意固原出於玉茗堂之「如花美眷，似水流年」之句，却適與紅樓夢中林黛玉之感傷不期冥會。（戚本石頭記第貳叁回「西廂記妙詞通戲語，牡丹亭艷曲警芳心」之末節。）不過悼紅僅間接想像之語，斯為殊異之點，故再生緣傷春之詞尤可玩味也。寅恪近有看花送春之作，亦關涉牡丹紅杏者，故附錄於此。詩之詞句重複鈎連，固是摹擬繪影閣體。然意淺語拙，自知必為才女之鬼所鄙笑也。

甲午嶺南春暮憶燕京崇效寺牡丹及青松紅杏卷子有作：

回首燕都掌故花，花開花落隔天涯。天涯不是無歸意，爭奈歸期抵死賒。（改宋人詞語。）

紅杏青松畫已陳，興亡遺恨尚如新。山河又送春歸去，腸斷看花舊日人。

復次，端生於乾隆三十四年秋，隨父玉敦由北京赴山東登州同知任所，其初一段行程為舟行，蓋取道運河也。其自言「行船人褉仍無續」，則於第壹柒卷首節所言「歸棹夷猶翻斷簡」者，情形殆不同矣。端生於乾隆三十六年夏間返杭，自是舟行，大約亦由德州乘船，其登州德州一段路程，仍是乘車陸行，與前此自北京赴登州時，由德州登岸乘車者不異。所謂「陸道艱難身轉乏」

者,則昔時深閨弱質,(再生緣第壹柒卷首節有「幸賴翁姑憐弱質」之句。)騾車陸行之苦況,有非今日交通便利之時代所能瞭解者矣。又再生緣第壹柒卷首節云「自從憔悴堂萱後,遂使芸緗綵筆捐」及「庚寅失恃新秋月,辛卯南旋首夏天」,則端生之母汪氏自乾隆三十五年暮春以後即病劇,端生因此不能從事寫作,至是年七月其母汪氏病逝,更不能繼續撰著。直至乾隆四十九年甲辰仲春方始續寫第壹柒卷,此端生所謂「悠悠十二年來事,盡在明堂一醉間」者,因在辛卯年自登州返杭州途中,於再生緣十六卷稿本,猶略有所修改。再生緣第壹柒卷首節謂「歸棹夷猶翻斷簡,深閨閒暇待重編。由來蚤覺禪機悟,可奈于歸俗累縈」,即指此而言。端生所以從壬辰年算起三十六年辛卯後一年壬辰算起,至乾隆四十八年癸卯止,實為十二年。端生於乾隆三十五年輟寫再生緣時,年僅二十歲耳。以端生之才思敏捷,當日亦自謂可以完成此書,絕無疑義。豈知竟為人事俗累所牽,遂不得不中輟。蓋端生以母病劇輟寫,返杭州途中稍加修改,及到杭州後,即為俗事牽累擱置此稿,直至經過十二年之久,方始續寫也。嗚呼!端生於乾隆三十五年輟寫再生緣時,年僅二十歲耳。以端生雖後來勉強續成一卷,而卒非全璧,遺憾無窮。至若「禪機蚤悟」,俗累終牽,以致暮齒無成,如寅恪今日者,更何足道哉!此十二年後所續寫者,即今再生緣第壹柒卷,卷中首節及末節端生自述其撰著年月及續寫經過頗詳,上文已迻錄之矣。

再生緣第壹柒卷第陸伍回首節云「歲次甲辰春二月,芸窗仍寫再生緣」,及第陸捌回末節云「八

十張完成一卷,慢慢的,冰弦重撥待來春」,則端生自乾隆四十九年二月至十二月,將近一年之時間,僅成此一卷,與前此寫作此書之速度不大相侔,斯蓋其心身及環境之變遷所致。否則以端生之才華,絕不至如平山冷燕第陸回中宋山人之被才女冷絳雪笑為「一枝斑管千勛重,半幅花箋百丈長」者也。再生緣第壹柒卷第陸捌回末節云「向陽為趁三年日,入夜頻挑一盞燈」者,(此句法與第壹卷第肆回末節之「臨窗愛趁朝陽暖,握管愁當夜氣寒」正同,而意境則大異也。)端生自謂前此寫成十六卷,起於乾隆三十三年秋晚,迄於三十五年春暮,首尾三年,晝夜不輟。今則「殊非是,拈毫弄墨舊時心」,其綢繆恩紀,感傷身世之意溢於言表,此豈今日通常讀再生緣之人所能盡喻者哉?今觀第壹柒卷之文字,其風趣不減於前此之十六卷,而淒涼感慨,反似過之。則非「江淹才盡」,乃是「庾信文章老更成」,抑又可知也。(庾信哀江南賦云:「天道周星,物極不反。」蓋子山謂歲星十二年一周天,人事亦當如之。今既不然,可悲甚矣。端生云:「悠悠十二年來事,盡在明堂一醉間。」又云:「歲次甲辰春二月,芸窗重寫再生緣。」自再生緣十六卷寫完,至第壹柒卷續寫,其間已歷十二年之久,天道如此,此端生之所以於第壹柒卷之首,開宗明義即云:「搔首呼天欲問天,問天天道可能還。」古典今情合為一語,其才思之超越固不可及,而平日於子山之文,深有解會,即此可見。寅恪讀再生緣,自謂頗能識作者之用心,非泛引杜句,以虛詞讚美也。)至其所以未續完此書者,今日不易確言。

據陳文述西泠閨詠壹伍繪影閣詠家□□詩序云：「壻不歸，此書無完全之日也。壻遇赦歸，未至家，而□□死。」陳氏所言此書之不完成，在端生自身之不願意，其説亦似有理。因端生於第壹柒卷首節述其續寫此書，由於親友之囑勸，必使完成「射柳姻緣」。其結語云：「造物不須相忌我，我正是，斷腸人恨不團圓。」則其悲恨之情可以想見，殆有壻不歸，不忍續，亦不能強續之勢也。若不然者，此書不續成之故，在端生之早死，或未死前久已病困，遂不能寫成，抑或第壹柒卷後，雖有續寫之稿，但已散佚不全，今日皆不能考知。依上文所論，端生之卒年，當在戴佩荃之死，（即在乾隆四十三年秋季。）與陳桂生請王昶作紫竹山房集序，（即在嘉慶元年。）前後兩時限之間。若范某援乾隆五十五年高宗八旬萬壽慶典恩赦獲歸，則端生續完再生緣第壹柒卷時已在乾隆四十九年甲辰冬季，至此慶典時，止有五六年之久，假使端生無續寫第壹捌卷之事，或由於病困，亦未可知。若范某援嘉慶元年內禪授受慶典恩赦獲歸，則自乾隆四十九年至此慶典時，已有十一年之久，時間頗長，更無一卷之再續，當非由於病困，可以推知也。儻使端生實已寫第壹柒卷以下之稿，而後來散佚不傳者，則其散佚當在雲南。（假定上文論端生曾隨父往雲南之説不誤。）今知第壹柒卷之稿既能流傳於浙江，第壹柒卷以下諸卷之稿轉又散佚，似亦不近情理。綜合諸點推論，陳文述壻不歸，不願續成之説，似甚有根據，不可因此叟平日好作狡獪，遂謂其説亦出虛構

也。茲論陳端生寫作再生緣之經過既竟，請略論再生緣之思想、結構、文詞三點於下：

（一）思想。今人所以不喜讀此書之原因頗多，其最主要者，則以昔日小說思想陳腐，如女扮男裝、中狀元、作宰相等俗濫可厭之情事。然此類情事之描寫，固為昔日小說思想之通病，其可厭自不待言，寅恪往日所以不喜讀此等書者，亦由此故也。年來讀史，於知人論事之旨稍有所得，遂取再生緣之書，與陳端生個人身世之可考見者相參會，鈎索乾隆朝史事之沈隱，玩味再生緣文詞之優美，然後恍然知再生緣實彈詞體中思想最超越之人也。夫當日一般人所能取得之政治上最高地位為宰相，而陳端生亦當日無數女性中思想最超越之人也。夫當日一般人所能取得之政治上最高地位為宰相，社會上最高地位為狀元，此兩事通常皆由科舉之途徑得之。而科舉則為男性所專佔之權利。當日女子無論其才學如何卓越，均無與男性競爭之機會，即應試中第，作官當國之可能。此固為具有才學之女子心中所最不平者，而在端生個人，尤別有更不平之理由也。當清代乾隆之時，特崇獎文學，以籠絡漢族，粉飾太平，乾隆初年博學鴻詞科之考試，於乾隆元年二月諭，給發先期到京應試者膏火銀兩。又於臨試之期，以天氣漸寒，着在保和殿內考試。此皆足表示特重是科之意，其藉文詞科試，以籠絡漢人之用心，亦可窺見矣。）此科試題較康熙十八年博學鴻詞科特難，其得中式者，不過十五人。當時以文章知名之士，如袁簡齋之流，雖預試，而未獲選，其難可以推見也。端生之祖句山，即由此華選，望重當世。端生

在幼年之時，本已敏慧，工於吟詠，自不能不特受家庭社會之薰習及反應。其父玉敦、伯父玉萬輩之才學似非卓越。（寅恪未能多見玉敦作品，自不敢確言。然丁申丁丙杭郡詩輯三輯壹拾載有玉敦輓天都汪復齋先生五古一首。觀其詩，仍是紫竹山房之派，與繪影、繪聲姊妹之作才華綿麗者，固區以別矣。）至於其弟安生、春生、桂生等，當時年尚幼稚，（耆獻類徵壹玖柒疆臣肆玖陳桂生傳止載桂生卒於道光二十年，玉萬納妾林氏即桂生母事，推計之，則端生於乾隆三十三年初撰再生緣時，桂生之年齡至多不過十歲上下耳。）亦未有所表見，故當日端生心目中，頗疑彼等之才性不如己身及其妹長生，其不平之感，有非他人所能共喻者。職此之故，端生有意無意之中造成一驕傲自尊之環境中。然則陳氏一門，句山以下，女之不劣於男，情事昭然，端生處此兩相形之觀念。此觀念為他人所不能堪，在端生亦未嘗不自覺，然固不屑顧及者也。如再生緣第叁卷第玖回云：

已廢女工徒歲月，因隨母性學癡愚。芸窗紙筆知多貴，秘室詞章得久遺。不願付刊經俗眼，惟憐（寅恪案，坊間鉛印本「憐」作「將」，似更佳。）存稿見閨儀。（此節譚正璧中國女性文學史下册第柒章第肆節已論及。）

可見端生當戲寫再生緣時，他人已有不安女子本分之議論。故端生著此一節，以示其不屑顧及

之意。「因隨母性學癡愚」之語,殆亦暗示不滿其母汪氏未能脫除流俗之見也。

再生緣一書之主角為孟麗君,故孟麗君之性格,即端生平日理想所寄託,遂於不自覺中極力描繪,遂成為己身之對鏡寫真也。

觀再生緣第拾卷第叁玖回述皇甫少華迎娶劉燕玉一節云:

皇甫家忠孝王的府第造於外廊營內,阮京兆大人的私衙卻在爛麵胡同。這邊迎親的花轎轉來,正從米市胡同孟家龍圖相國的衙門前經過。

及同書第壹拾卷第肆壹回中,述劉燕玉至孟麗君之父母孟士元韓氏家,拜認為孟韓之繼女時,士元送燕玉至廳院前,其言曰:

吶!人夫們,轎子擡穩呵!

連日晴明雪水流,泥濘一路是車溝。小心仔細休輕忽,外廊營,進口艱難我卻愁。

然則皇甫少華家在外廊營,即是孟麗君終身歸宿之夫家在外廊營。據上引陳句山年譜乾隆三十五年條,知陳兆崙亦寓外廊營宅也。端生乾隆三十三年秋間初寫再生緣時,即端生所以不將孟麗君之家,而將皇甫少華之家置於外廊營者,非僅表示其終身歸宿之微旨,亦故作狡獪,為此顛倒陰陽之戲筆耳。

又觀第壹柒卷第陸柒回中孟麗君違抗皇帝御旨,不肯代為脫袍者;第壹肆卷第伍肆回中孟麗君在

皇帝之前，面斥孟士元及韓氏，以致其父母招受責辱；第壹伍卷第柒回中孟麗君夫之父皇甫敬欲在麗君前屈膝請行，又親為麗君挽轎；第捌卷第叁拾回中皇甫敬撩衣向麗君跪拜；第陸卷第貳貳回、第貳叁回、第貳肆回，及第壹伍卷第捌回中皇甫少華（即孟麗君之夫）向麗君跪拜諸例，（寅恪案，端生之祖兆崙於雍正十三年乙卯考取內閣中書一等一名，又於乾隆元年丙辰考取博學鴻詞科。至乾隆十七年壬申，副兵部侍郎觀保典順天武鄉試。此科解元顧麟即於是年中式會元狀元，為武三元。可參紫竹山房文集捌順天武鄉試錄後序、壹玖順天武鄉試策問，及陳句山先生年譜有關諸年等條。再生緣中述孟麗君中文狀元，任兵部尚書，考取皇甫少華為武狀元。豈端生平日習其祖父聞日奉為金科玉律之君父夫三綱，皆欲藉此等描寫以摧破之也。端生此等再生緣之梁德繩於第貳拾卷第捌拾回中，假皇甫敬之口斥孟麗君，謂其「習成驕傲凌夫子，目無姑舅亂胡行」，作筆生花之邱心如於其書第壹卷第壹回中，論孟麗君之失，謂其「竟將那，勞天性一時捐。閱當金殿辭朝際，辱父欺君太覺偏」，可為例證也。噫！中國當日智識界之女性，大別之，可分為三類。第一類為專議中饋酒食之家主婆。第二類為忙於往來酬酢之交際花。至於第三類，則為端生心中之孟麗君，即其本身之寫照，亦即杜少陵所謂「世人皆欲殺」

者。前此二類滔滔皆是,而第三類恐止端生一人或極少數人而已。抱如是之理想,生若彼之時代,其遭逢困阨,聲名湮沒,又何足異哉!又何足異哉!至於神靈怪誕之說,地理歷史之誤,本為吾國小說通病,再生緣一書,亦不能免。然自通識者觀之,此等瑕疵,或為文人狡獪之寓言,固不可泥執;或屬學究考據之專業,更不必以此苛責閨中鬌齡戲筆之小女子也。

(二)結構。綜觀吾國之文學作品,一篇之文,一首之詩,其間結構組織,出於名家之手者,則甚精密,且有系統。然若為集合多篇之文多首之詩而成之巨製,即使出自名家之手,亦不取多數無系統或各自獨立之單篇詩文,匯為一書耳。其中固有例外之作,如劉彥和之文心雕龍,其書或受佛教論藏之影響,以軼出本文範圍,故不置論。又如白樂天之新樂府,則拙著元白詩箋證稿新樂府章中言之已詳,亦不贅論。至於吾國小說,則其結構遠不如西洋小說之精密。在歐洲小說未經翻譯為中文以前,寅恪讀此類書甚少,但知有兒女英雄傳一種,殊為例外。其書乃反紅樓夢之作,結構皆甚可議。世人以其内容不甚豐富,往往輕視之。然其結構精密,頗有系統,轉勝於曹書,在歐西小說未輸入吾國以前,為罕見之著述也。哈葛德者,其文學地位在英文中,並非高品。所著小說傳入中國後,當時桐城派古文名家林畏廬深賞其文,至比之史遷。能讀英文者,頗怪其擬於不倫。實則琴南深受古文義法之薰習,甚知結構之必要,而吾國長篇小說,則此缺點最為顯著,歷來

文學名家輕視小說，亦由於是。（桐城派名家吳摯甫序嚴譯天演論，謂文有三害，小說乃其一。文選派名家王壬秋鄙韓退之、侯朝宗之文，謂其同於小說。）一旦忽見哈氏小說，結構精密，遂驚嘆不已，不覺以其平日所最崇拜之司馬子長相比也。今觀再生緣為續玉釧緣之書，而玉釧緣之文冗長支蔓殊無系統結構，與再生緣之結構精密，系統分明者，實有天淵之別。若非端生之天才卓越，何以得至此乎？總之，不支蔓有系統，在吾國作品中，如為短篇，其作者精力尚能顧及，文字剪裁，亦可整齊。若是長篇巨製，文字逾數十百萬言，如彈詞之體者，求一敘述有重點中心，結構無夾雜駢枝等病之作，以寅恪所知，以再生緣為彈詞中第一部書也。端生之書若是，端生之才可知，在吾國文學史中，要以再生緣為彈詞中第一部書也。但世人往往不甚注意，故特標出之如此。韓退之云：「發潛德之幽光。」寅恪之草此文，猶退之之意也。

（三）文詞。紫竹山房文集柒才女說略云：

世之論者每云，女子不可以才名，凡有才名者，往往福薄。余獨謂不然。福本不易得，亦不易全。古來薄福之女，奚啻千萬億，而知名者，代不過數人，則正以其才之不可沒故也。又況才福亦常不相妨。嫻文事，而享富貴以沒世者，亦復不少，何謂不可以才名也。誠能於婦職餘閒，流覽墳素，諷習篇章，因以多識故典，大啟性靈，則於治家相夫課子，皆非無助。以視邨姑野媼惑溺於盲子彈詞，乞兒說謊，爲之啼笑者，譬如一龍一猪，豈可

寅恪案，句山此文殊可注意，吾國昔時社會惑於「女子無才便是德」之謬説，雖士大夫之家，亦不多教女子以文字。今觀端生、長生姊妹，俱以才華文學聞當世，則句山家教之力也。句山所謂「嫻文事，享富貴」者，長生庶幾近之。至若端生，則竟不幸如世論所謂「女子不可以才名，凡有才名者，往往福薄」。悲夫！句山雖主以詩教女子，然深鄙彈詞之體。此老迂腐之見囿於時代，可不深論。所可笑者，端生乘其回杭州之際，暗中偷撰再生緣彈詞。逮句山反京時，端生已挾其稿往登州以去。此老不久病沒，遂終身不獲見此奇書矣。即使此老三數年後，猶復健在，孫女輩日侍其側者，而端生亦必不敢使其祖得知其有撰著邨姑野媼所惑溺之彈詞之事也。

不意人事終變，「天道能還」（再生緣第壹柒卷第陸伍回首節云：「問天天道可能還。」）紫竹山房詩文集存若亡，僅束置圖書館之高閣，博雅之目錄學者，或略知其名，而再生緣一書，百餘年來吟誦於閨幃繡闥之間，演唱於書攤舞臺之上。近歲以來雖稍衰歇，不如前此之流行，然若一取較其祖之詩文，顯著隱晦，實有天淵之別，斯豈句山當日作才女説痛斥彈詞之時所能料及者哉！今寅恪殊不自量，奮其譾薄，特草此文，欲使再生緣再生，句山老人泉底有知，以為然耶？抑不以為然耶？再生緣之文，質言之，乃一敍事言情七言排律之長篇巨製也。

關於天竺

希臘及西洋之長篇史詩，與吾國文學比較之問題，以非本文範圍之排律，以供讀再生緣者之參考。

元氏長慶集伍陸唐故工部員外郎杜君墓係銘並序略云：

山東人李白亦以奇文取稱，時人謂之李杜。予觀其壯浪縱恣，擺去拘束，模寫物象，及樂府歌詩，誠亦差肩於子美矣。至若鋪陳終始，排比聲韻，大或千言，次猶數百，詞氣豪邁，而風調清深，屬對律切，而脫棄凡近，則李尚不能歷其藩翰，況堂奧乎？

姚鼐今體詩鈔序目略云：

杜公今體四十字中包涵萬象，不可謂少。數十韻百韻中運掉變化如龍蛇，穿貫往復如一線，不覺其多。讀五言至此，始無餘憾。余往昔見〔錢〕蒙叟箋，於其長律，轉折意緒都不能了，頗多謬說，故詳爲全釋之。

同書五言陸杜子美下注略云：

杜公長律有千門萬戶開闔陰陽之意。元微之論李杜優劣，專主此體。見雖少偏，然不爲無識。自來學杜公者，他體猶能近似，長律則愈邈矣。〔元〕遺山〔論詩絕句〕云：「〔排比鋪張特一途，文章如此亦區區。〕少陵自有連城璧，爭奈微之識珷玞。」有長律如此，而目爲珷玞，此成何論耶？杜公長律旁見側出，無所不包，而首尾一線，尋其脈絡，轉得清明。他

人指成褊隘,而意緒或反不逮其整晰。

寅恪案,微之惜抱之論精矣,茲不必再加引申,以論杜詩。然觀吾國佛經翻譯,其偈頌在六朝時,大抵用五言之體,唐以後則多改用七言,宗教宣傳,自以符合當時情狀為便,此不待詳論者也。職是之故,白香山於作秦中吟外,更別作新樂府。秦中吟之體乃五言古詩,而新樂府則改用七言,且間以三言,蘄求適應於當時民間歌詠,其用心可以推見也。(可參拙著元白詩箋證稿新樂府章。)彈詞之文體即是七言排律,而間以三言之長篇巨製。故微之惜抱論少陵五言排律者,亦可以取之以論彈詞之文。又白香山之樂府及後來摹擬香山,如吳梅村諸人之七言長篇,亦可適用微之惜抱之說也。彈詞之作品頗多,鄙意再生緣之文最佳,微之所謂「鋪陳終始,排比聲韻」,「屬對律切」,實足當之無愧,而文詞累數十百萬言,則較「大或千言,次猶數百」者,更不可同年而語矣。世人往往震矜於天竺希臘及西洋史詩之名,而不知吾國亦有此體。外國史詩中宗教哲學之思想,其精深博大,雖遠勝於吾國彈詞之所言,然止就文體立論,實未有差異。彈詞之書,其文詞之卑劣者,固不足論。若其佳者,如再生緣之文,則在吾國自是長篇七言排律之佳詩。在外國亦與諸長篇史詩,至少同一文體。寅恪四十年前常讀希臘梵文諸史詩原文,頗怪其文體與彈詞不異。然當時尚不免拘於俗見,復未能取再生緣之書,以供參證,故噤不敢發。荏苒數十年,遲至暮齒,始為之一吐,亦

不顧當世及後來通人之訕笑也。

抑更有可論者，中國之文學與其他世界諸國之文學，不同之處甚多，其最特異之點，則為駢詞儷語與音韻平仄之配合。就吾國數千年文學史言之，駢儷之文以六朝及趙宋一代為最佳。其原因固甚不易推論，然有一點可以確言，即對偶之文，往往隔為兩截，中間思想脈絡不能貫通。其若為長篇，或非長篇，而一篇之中事理複雜者，其缺點最易顯著，駢文之不及散文，最大原因即在於是。吾國昔日善屬文者，常思用古文之法，作駢儷之文。但此種理想能具體實行者，端繫乎其人之思想靈活，不為對偶韻律所束縛。六朝及天水一代思想最為自由，故文章亦臻上乘，其駢儷之文遂亦無敵於數千年之間矣。若就六朝長篇駢儷之文言之，當以庾子山哀江南賦為第一。若就趙宋四六之文言之，當以汪彥章代皇太后告天下手書（浮溪集壹叁）為第一。此文篇幅雖不甚長，但內容包涵事理既多，而文氣仍極通貫。又此文之發言者，乃先朝被廢之皇后。以失去政權資格之人，而欲建立繼承大統之君主，本非合法，不易立言。但當日女真入汴，既悉數俘虜趙姓君主后妃宗室北去，捨此僅遺之廢后外，別無他人，可藉以發言，建立繼統之君，維繫人心，抵禦外侮。情事如此，措詞極難，而彥章文中「雖舉族有北轅之釁，而敷天同左袒之心」兩句即足以盡情達旨。至於「漢家之厄十世，宜光武之中興。獻公之子九人，惟重耳之尚在」。古典今事比擬適切，固是佳句。然亦以語意較顯，所以特為當時及後世所傳誦。

職是之故，此文可認為宋四六體中之冠也。庾汪兩文之詞藻固甚優美，其不可及之處，實在家國興亡哀痛之情感，於一篇之中，能融化貫徹，而其所以能運用此情感，融化貫通無所阻滯者，又繫乎思想之自由靈活。故此等之文，必思想自由靈活之人始得為之。非通常工於駢四儷六，而思想不離於方罫之間者，便能操筆成篇也。今觀陳端生再生緣第壹柒卷中自序之文，（上文已引。）與再生緣續者梁楚生第貳拾卷中自述之文，兩者之高下優劣立見。其所以至此者，鄙意以為楚生之記誦廣博，雖或勝於端生，而端生之思想自由，則遠過於楚生。撰述長篇之排律駢體，內容繁複，如彈詞之體者，苟無靈活自由之思想，以運用貫通於其間，則千言萬語，盡成堆砌之死句，即有真實情感，亦墮世俗之見矣。不獨梁氏如是，其他如邱心如輩，亦莫不如是。再生緣一書，在彈詞體中，所以獨勝者，實由於端生之自由活潑思想，能運用其對偶韻律之詞語，有以致之也。故無自由之思想，則無優美之文學，舉此一例，可概其餘。此易見之真理，世人竟不知之，可謂愚不可及矣。

端生再生緣之文如此，則平日之詩文亦非凡俗，可以推見。惜其所著繪影閣集，無一字遺傳。袁簡齋在乾隆時，為最喜標榜閨閣詩詞之人，而其所編著之隨園詩話、隨園女弟子詩及同人集等書，雖載陳句山、陳長生之詩，而絕不及端生一字，豈出於長生之不願，抑或簡齋之不敢，今不能確言。頗疑再生緣中，其對句之佳者，如第壹柒卷首節中「隔牆紅杏飛晴雪，映榻高槐

覆晚烟」,「午繡倦來還整線,春茶試罷更添泉」之類,即取繪影閣集中早年詩句足成。若此推論不誤,則是繪影閣集尚存一二於天壤間,亦可謂不幸中之幸也。至於繪影之取名,自與「繪影繪聲」之成語有關,而長生之集名繪聲閣,即從其姊之集名而來,固不待論。然「繪影」一詞,或與其撰著彈詞小說,描寫人物,「惟妙惟肖」之意有關。又或端生自身亦工繪畫,觀其於再生緣第叁卷第拾回中,描寫孟麗君自畫其像一節,生動詳盡,乃所以反映己身者耶?(可參再生緣第壹陸卷第陸叁回太后命孟麗君畫送子觀音一節。)前引長生寄外詩云「年來心事託冰紈」,又有織素圖及桂馨圖(可參吳昌綬松鄰遺集陸題桂馨圖後及徐世昌晚晴簃詩匯壹捌伍陳長生詩選附詩話。)等之記載流傳,則長生之工畫,由於葉紹楏之漸染,或受其姊之影響,俱不可知,姑記於此,更俟詳考。論陳端生事蹟之可考見者及其撰著再生緣本末,並略論其思想結構文詞既竟,茲請論再生緣續撰者梁德繩之事蹟及其所撰之續本於下:︙

梁德繩為梁詩正之孫女,梁敦書之女,許宗彥之室。其生平事蹟詳見阮元所著梁恭人傳。(見古春軒詩鈔首及閔爾昌編碑傳集補伍玖列女壹。)其所著古春軒詩鈔上下兩卷及卷後所附詞亦皆流傳。(參徐乃昌小檀欒室彙刻閨秀詞第柒種梁德繩古春軒詞,又潘衍桐兩浙輶軒續錄伍叁並徐世昌晚晴簃詩匯壹捌陸所選梁德繩詩。)今此文關於德繩之事蹟及著述均不多所旁涉,止專論其續撰再生緣一事。但德繩之性格及其家庭環境、夫婦關係等與端生頗異,此文遂

亦不得不於此三事略加討論，以其有關再生緣原本及續本之特點故也。

今再生緣共二十卷，其第壹捌卷至第貳拾卷為續前十七卷之作，此續者於第壹捌卷首即已自言之矣。但續者為何人及何時所續，則有考論之必要。陳文述西泠閨詠壹伍（前文已引，但因論辨之便利，節錄之於此。）略云：

□□撰再生緣南詞，託名女子酈明堂，男裝應試及第，為宰相，與夫同朝，而以寄別鳳離鸞之感。曰，壻不歸，此書無完全之日也。壻遇赦歸，未至家，而□□死。許周生、梁楚生夫婦為足成之，稱完璧焉。

據陳氏所言，再生緣中酈明堂與夫同朝，而不合併，乃端生所以寄其「別鳳離鸞之感」者。殊不知端生撰成再生緣第壹陸卷時，尚未適范氏。今觀此卷所述孟麗君、皇甫少華亦已「同朝而不合併」，則端生必無預知其夫壻有成邊之事，何從在十年之前即寄其後日「別鳳離鸞之感」耶？

此大不可通者也。又據續再生緣者，於第貳拾卷末節（前文已詳引，茲節錄之。）略云：

我亦緣慳甘茹苦，悠悠卅載悟前緣。有感再生緣作者，半途而廢了生前。偶然涉筆閒消遣，巧續人間未了緣。

則是續者明言在其夫已死之後，有感於陳端生「別鳳離鸞」之遭遇，而續再生緣也。文述既言續再生緣者，為許周生與梁楚生夫婦二人，則楚生何得於周生未死之前，預有此感？周生豈亦於

其未死之前，早為其妻作寄感之預備，而相與共續此書耶？此又大不可通者也。然則文述之言全不可信乎？是又不然。蓋文述之言，乃依據其媳汪端傳述而來，端為楚生姊之女，又少養於楚生家，（古春軒詩鈔上有五古一篇，題為「小韞甥女于歸吳門，以其愛詩，為吟五百八十字送之，即書明湖飲餞圖後」，可以參證。此詩疑是嘉慶十七年楚生寓杭州時所作。）所傳必非虛妄，不過文述自身實未嘗詳察再生緣全書內容，故有上述兩種錯誤，即：（一）誤以為原作者為端生，續之者為楚生，實由於其壻范某之遺成。不但不誤，吾人今日得知再生緣之原作者及續作者姓名，捨文述一人之著述外，尚未見其他記載一及斯事。觀於此點，文述實有大功，不可湮沒者也。（二）周生、楚生夫婦共續此書。此書之初刻在何年，及此書之續再生緣之年代，兩點頗成問題。茲略論之於下。

今刻本再生緣首載有序文略云：

　再生緣傳鈔數十載，尚無鐫本。因惜作者苦思，刪繁撮要。

　道光元年季秋上浣日書。

　　　　　香葉閣主人稿。

寅恪案，香葉閣主人乃侯芝之別號，（參譚正璧中國女性文學史第柒章第伍節。）其事蹟及著述茲不詳考，惟此序實有兩點可疑。（一）依序所言，則今刻本已經侯芝所刪節。但今所見再生緣

之刻本,其中脫誤顛倒之處頗多,後文句不相連貫一至於此。然則依據今本實不能確證此書曾經刪削一過也。(二)此序中所言之再生緣,雖未明言為十七卷,抑或二十卷,但依其文氣言之,則似為二十卷本之全書。否則序中必論及此點,斯可以默證推知者。若果為二十卷本之全書,則序文所署之年月為不可通。據陳壽祺左海文集壹拾許君(宗彥)墓誌銘略云:

夫人梁氏,內閣大學士諱詩正諡文莊公孫女、工部侍郎諱敦書女。

梁德繩古春軒詩鈔首載阮元撰梁恭人諱詩正諡文莊公傳(參閱爾昌碑傳集補伍玖。)略云:

恭人姓梁氏,名德繩,號楚生。兵部車駕司主事德清周生許君宗彥配也。駕部年十九,與予同舉〔乾隆五十一年〕丙午科鄉試。〔嘉慶四年〕己未科會試,駕部甫成進士。既分部視事,甫三月,以親老乞歸,不復仕。家事悉弗問,皆恭人主之。以故駕部益得覃研經史疑義,兼精於天文算法。杜門却掃,優游林泉者,凡二十載。歲戊寅〔嘉慶二十三年〕駕部又不祿。〔子〕延穀旋寓書於予,乞爲〔恭人〕傳。恭人生於乾隆辛卯年(三十六年)十月初五卯時,卒於道光丁未年(二十七年)三月初八日子時,年七十有七。距駕部下世已三十載矣。女三,長殤,次適海陽孫氏,三即余五(寅恪案,許宗彥鑑止水齋集首載阮元撰浙儒

許君積卿傳云：「女子子三，延錦適元之子福。」則「五」字疑是「之」字之誤。）子婦。

然則嘉慶二十三年周生死時，其年為五十一，而此年楚生為四十八歲也。

據再生緣第貳拾卷第柒柒回首節中，楚生自述其續此書之動機云：

嗟我年近花甲，二十年來未抱孫。藉此解頤圖吉兆，虛文紙上亦歡欣。

是楚生續此書時，其年將近六十歲，以如是年老婦人望孫之俗見，而續再生緣，宜其所續者，不能比美於端生之原書也。若道光元年香葉閣主人作序時，則楚生僅五十一歲，斷不可言「年近將花甲」。故香葉閣主人序中「道光元年」之「元」字如非「九」字之譌，則必是書賈偽託。今未見再生緣最初最佳之本，不敢確言。陳文述西泠閨詠自序題「道光丁亥」，即道光七年。此年楚生五十七，「年近將花甲」之語似尚可通。至於楚生於再生緣第貳拾卷第捌拾回末節，感傷陳端生之遭遇，因自述其與周生之關係云：

我亦緣慳甘茹苦，悠悠卅載悟前緣。

蓋謂己身與周生有三十年夫婦姻緣之分。據上引玉釧緣第叄壹卷末載「謝玉輝在大元年間，又幹一番事業，與〔鄭〕如昭〔陳〕芳素做了三十年恩愛夫妻，才歸仙位」，楚生殆有感於「三十年」夫妻之語，深惜端生無「三十年」之緣，己身雖有「三十年」之緣，而周生又未能如謝玉輝之「幹了一番事業」，所以表示其感傷之意也。至阮伯元作楚生傳，謂楚生之卒距其夫之卒為三十年，

即寡居三十年之意。與楚生「悠悠卅載悟前緣」之語無涉。否則楚生續再生緣時，其年必已七十餘歲，而文述不得在道光七年，即楚生五十七歲時，預知楚生之續再生緣也。「卅載悟前緣」之語，易滋誤解，因並附辨之如此。

楚生嘗於再生緣第貳拾卷第捌拾回內，借皇甫敬之言斥孟麗君之驕傲，即所以暗示不以陳端生為然之意，前文已論之矣。今再節錄此回中皇甫敬批評蘇映雪及劉燕玉之語，以見楚生之性格及其理想如下。

皇甫敬評蘇映雪云：

太王爺（指皇甫敬），又云梁氏東宮媳，他是天真爛漫人。毫無半點來裝飾，賢良溫厚性和平。

此蓋楚生心中以蘇映雪自比，楚生為人諒亦「賢良溫厚性和平」，與端生之性格驕傲激烈者，適成對比也。此點恐非盡由於天生之性質所致，當亦因所處家庭環境不同使然。德清梁氏為當時浙江最有名之家族。儒林外史所言之妻公子家，或即指梁氏。楚生家及周生家，雖皆以文學科第顯著，但梁許兩家經濟狀況，則與陳句山家之清貧者不同。觀王昶春融堂叁捌陳句山先生紫竹山房詩文集序中：

入其家，衡門兩版，凝塵滿席，不知為列卿之尊，與京兆之雄駿也。

之語，即可推知端生未嫁時家庭之清貧。即適范某之後，假定范某即范璨之子范菼，則據陸燿撰范公璨神道碑云，「潔清之操，晚節彌勵，菜羹蔬食，不異貧寒」（見上引陸燿切問齋集拾。）似其夫家經濟當亦不寬裕。否則其夫不致以圖利嫌疑之故，坐科場代倩作弊獲罪也。又楚生父之昆弟輩如同書，已身昆弟輩如玉繩，皆以學問藝術知名當世。周生亦年十九已中式鄉試，且為貴公子，（周生父祖京仕至廣東布政使，見鑑止水齋集首所撰許君周生家傳。）而兼名士。其親家復是清代第一達官而兼名儒之阮芸臺。故端生楚生兩人，雖俱出自浙江名門，又有通家之誼。（可參紫竹山房詩文集首所附陳句山先生年譜乾隆三十五年庚寅下，「少司馬周煌，侍講梁同書」節條及詩集壹貳述夢紀事詩「埋石得周梁，自誌求其書」句下自註云，「梁侍講同書來朝慶（萬壽）節條及詩集壹貳陸送陳句山太僕還朝及輓陳太僕詩等。）而家庭環境頗不相同。兩人性格之驕激謙和，實受環境影響，無可致疑也。

皇甫敬評劉燕玉云：

回頭連喚西宮媳，莫須憂慮不懷姙。你為人，玲瓏幸喜多忠厚，略有三分徒（寅恪案，

「徒」疑當作「妒」。）忌心。這點小疵磨琢去，何愁日後少收成。

可知楚生心中以為不妒忌，始能生子，此亦所以自比並兼以屬望於其子婦者也。據陳壽祺左海文集壹拾許君（宗彥）墓誌銘略云：

夫人梁氏,生子延敬、延穀。篋吳氏,先卒,生子兆奎、延寀、延澤。陳氏,生子延凱。女三,梁夫人出者二。長適原任監察御史孫球子承勳,次適現任兩廣總督阮元子福。篋崔氏生女一,字現任翰林院侍讀學士胡敬子琮。

是周生至少有三妾,且均生子女。楚生亦生子女數人也。周生之妾既有多人,似足證楚生之不妒。楚生己身又生數子,此事在楚生心中,乃其不妒之善果,遂藉續再生緣之書,以寓其責望子婦之意,並一發其「二十年來未抱孫」之牢騷也。雖然,今觀古春軒詞蒼梧謠序云:

周生意有所惑,作此戲之。

則楚生於此猶未能忘懷。不妒之古訓,固為習聞詩禮之教如楚生者,深所服膺,平日以此自負,且以教人。但臨事觸發,不覺流露。可見其為勉強抑制,非出自然,又何必以此責難於劉燕玉比之子婦耶?

夫為男子者,可畜多妾,而婦人則不應妒忌,此男尊女卑,吾國傳統夫為妻綱之教條也。楚生乃此教條下之信徒,既行之於身,復出之於口,更筆之於書矣。至若端生,其作再生緣時,雖尚未適人,但關於夫為妻綱之說,既力加排斥,上文已略論及,茲不復贅。所可笑者,楚生以蘇映雪性情柔順,為最合理想之婦女。孟麗君適與相反,固所不取。殊不知在端生書中,孟麗君初期本為蘇映雪即梁素華之夫,蓋取梁鴻、孟光夫婦之姓,反轉互易,而梁素華及皇甫少華

兩人名中「素」「少」二音又相近。此雖為才女顛倒陰陽之戲筆，然可見其不服膺男尊女卑，夫為妻綱之古訓，楚生乃嘖嘖稱賞蘇映雪不置，恐端生地下有靈，亦當不覺失笑也。又觀楚生與周生往來酬唱之作，誠可以比美梁孟矣。但一檢周生鑑止水齋集貳所載答內詩，後附楚生寄外詩，楚生之詩，文句煩多，情感深摯，而周生答以寥寥五十四字之短篇云：

遠離且莫悲，遠歸亦勿喜。暫離復見偶然爾。世事紛紛那免此。勸君勿墮迷雲裏。不見天關與織女。隔以銀河一萬八千里。脈脈相看不得語。

又同書同卷所載望夫岡七古結語云：

誰能無事輕離別，倦倚孤篷亦嬾看。

則周生與楚生之情感，已可推見。然於服膺男尊女卑，夫為妻綱之說者，固亦無可如何，而安之若命矣。

至於端生之壻范某，假定即是范璨之子，雖為貴公子，然家境清寒，亦等於一窮書生，與許周生不同，當無畜姬妾之能力，端生一生中諒亦無楚生此種環境及不快之情感。假使范某而為周生所為者，則端生亦將表現其本來面目，如孟麗君也。觀再生緣第壹伍卷第伍捌回云：

忠孝王（指皇甫少華）背靠床欄笑幾聲。

咳！果然如此，也是孟府的家風了。

岳母大人手段凶,自然他,所生之女亦相同。麗君若是同其母,少華也,只好低頭效岳翁。懼內名兒逃不去,能得個,重偕伉儷靠天公。

可為例證。然則端生之意,不僅欲己身如孟麗君,亦欲其母汪氏如韓氏。竟使陳句山之家風,復如孟府之以懼內著聞。此為端生大膽之筆,而楚生掩耳所不敢聞者。合兩種性格絕殊之女作家,完成一書,取相比較,既可觀,抑可笑矣。

依據甚不完全之材料,考證陳端生之事蹟及著作,並略論梁德繩之有關於再生緣諸點既竟,請述寅恪讀此書之別感如下。

有清一代,乾隆朝最稱承平之世。然陳端生以絕代才華之女子,竟憔悴憂傷而死,身名湮沒,百餘年後,其事蹟幾不可考見。江都汪中者,有清中葉極負盛名之文士,而又與端生生值同時者也,(汪中生於乾隆九年,卒於乾隆五十九年。)作弔馬守真文,以寓自傷之意,謂「榮期二樂,幸而為男」(見述學別錄)。今觀端生之遭遇,容甫之言其在當日,信有徵矣。然寅恪所感者,則為端生於再生緣第壹柒卷第陸伍回中,「豈是蚤為今日讖」一語。二十餘年前,九一八事變起,寅恪時寓燕郊清華園,曾和陶然亭壁間清光緒時女子所題詠丁香花絕句云:故國遙山入夢青,江關客感到江亭。(沈乙厂先生海日樓集陶然亭詩云:「江亭不關江,偏感江關客。」)不須更寫丁香句,轉怕流鶯隔世聽。

鍾阜徒聞蔣骨青,(蔣子文「骨青」事出干寶搜神記。今通行本干書「青」字多誤寫,不足據也。)也無人對泣新亭。南朝舊史皆平話,説與趙家莊裏聽。

詩成數年後,果有蘆溝橋之變。流轉西南,致喪兩目,此數年間,亦頗作詩,以誌一時之感觸。

兹録三首於下:

蒙自南湖作

景物居然似舊京,荷花海子憶昇平。橋頭鬢影還明滅,樓外笙歌雜醉醒。南渡自應思往事,北歸端恐待來生。(寅恪案,十六年前作此詩,句中竟有端生之名,「豈是讖爲今日識」耶?·噫!)黃河難塞黃金盡,日暮人間幾萬程。

昆明翠湖書所見

照影橋邊駐小車,新妝依約想京華。短圍貂褶稱腰細,密卷螺雲映額斜。赤縣塵昏人換世,翠湖春好燕移家。昆明殘劫灰飛盡,聊與胡僧話落花。

詠成都華西壩

淺草方場廣陌通,小渠高柳思無窮。雷車乍過浮香霧,電笑微聞送遠風。酒醉不妨胡舞亂,花羞翻訝漢妝紅。誰知萬國同歡地,却在山河破碎中。

乙酉冬夜臥病英倫醫院，聽人讀熊式一君著英文小說名「天橋」者，中述光緒戊戌李提摩太上書事。憶壬寅春隨先兄師曾等東遊日本，遇李教士於上海。教士作華語曰：「君等世家子弟，能東遊，甚善。」故詩中及之，非敢以烏衣故事自況也。

沈沈夜漏絕塵譁，聽讀佉盧百感加。
故國華胥猶記夢，舊時王謝早無家。
文章瀛海娛衰病，消息神州競鼓笳。
萬里乾坤迷去住，詞人終古泣天涯。

丙戌春以治目疾無效，將離倫敦返國暫居江寧，感賦。

金粉南朝是舊遊，徐妃半面足風流。
蒼天已死三千歲，青骨成神二十秋。
去國欲枯雙目淚，浮家虛説五湖舟。
英倫燈火高樓夜，傷別傷春更白頭。

又所至感者，則衰病流離，撰文授學，身雖同於趙莊負鼓之盲翁，事則等於廣州彈絃之瞽女。榮啟期之樂未解其何樂，汪容甫之幸亦不知其何幸也。偶聽讀再生緣，深感陳端生之身世，因草此文，並賦兩詩，附於篇末，後之覽者儻亦有感於斯歟？

癸巳秋夜，聽讀清乾隆時錢唐才女陳端生所著再生緣第壹柒卷第陸伍回中「惟是此書知者久，浙江一省徧相傳。髫年戲筆殊堪笑，反勝那，淪落文章不值錢」之語，及陳

文述西泠閨詠第壹伍卷繪影閣詠家□□詩「從古才人易淪謫，悔教夫壻覓封侯」之句，感賦二律。

地變天荒總未知，獨聽鳳紙寫相思。高樓秋夜燈前淚，異代春閨夢裏詞。絕世才華偏命薄，戍邊離恨更歸遲。文章我自甘淪落，不覓封侯但覓詩。

一卷悲吟墨尚新，當時恩怨久成塵。上清自昔傷淪謫，下里何人喻苦辛。彤管聲名終寂寂，青丘金鼓又振振。（再生緣間敘爭戰事，論者比之於七字唱也。）悵望千秋淚濕巾。

論再生緣校補記

寅恪初疑陳雲貞即陳端生，後來知其不然者，雖無積極之確據，但具強有力之反證。因陳文述嘉慶初年在北京題贈陳長生四律，其於端生、慶生、長生姊妹三人之身世遭遇，皆能詳悉言之，真所謂「如數家珍」。至道光時作西泠閨詠詠陳端生詩，雖詩序中謂「婿遇赦歸，未至家，而□□死」，今據長生繪聲閣續稿「哭春田大姊」七律二首之二「可堪寶鏡重圓日，已是瑤釵欲折時」二聯，則雲伯所言，由於傳聞稍誤，自應訂正。但此點所關甚小，不足為意。唯雲伯止言范菼「以科場事，為人牽累謫戍」，而絕口不提及雲貞寄外之書及詩以作材料，可知其始終不承

認雲貞與端生為一人也。

夫一百五十餘年前同時同族之人,既堅決不認雲貞、端生為一人,而今日反欲效方密之之「合二而一」,亦太奇矣!況焦循「雲貞行」謂其夫乃一「郎本武健兒」及「一發斃雙狼」之武人,與端生再生緣中自述其夫之語,如「更欣夫婿是儒冠。挑燈伴讀茶聲沸,刻燭催詩笑語聯」者,全無相似之處。至於里堂之「雲貞行」及雲伯之「雲貞曲」中俱有「郎戍伊犁城,妾住仙游縣」之句,蓋由二人同用一材料,自然符會,不必出於抄襲。茲舉最近之例言之。各撰論文,考楊妃入道年月。是時烽火連天,互不通問,然其結論則不謀而合,實以同用一材料,頗與再生緣類似,論者遂取此為「合二而一」之證。殊不知同一時代之作品,受環境影響,其格調本易相近。且再生緣一書,當日已甚流行,好事之人故作狡獪,偽造新骨董,自極可能。至蓮姐之詩,尤為偽中之偽。蓋無聊文士,更欲使紅娘、春香、襲人、晴雯之流,變作鄭康成之詩婢,許公實之王修微,茅止生之楊宛叔,薛文起之香菱,以達其最高享受之理想。此真所謂遊戲文章,斷不可視為史鑑實錄也。

又沈敦三垚落帆樓文集玖外集叁簡札撝存中「與許海樵且復」三十二通之十三云:

今春將甲午年積負一清，私心竊自喜，以爲今後可歸見江東故人之舉，致再積百餘金之債。此事孟浪已極，接信之後，不勝大駭。垚之親戚目不覩史策，不知人情物理，以蕩子不歸擬垚，既視垚太淺，欲以區區村婢縻垚，而不知縻之適所以緩之。

同書卷首附汪剛木曰楨「沈子惇著述總錄」略云：

沈垚字敦三，號子惇。浙江湖州府烏程縣人。府學廩生。道光〔十四年〕甲午優貢生。子惇生於嘉慶〔三年〕戊午，卒於道光〔二十年〕庚子。四十三歲。

寅恪案，子惇爲嘉道間人。其妻金氏，以夫久不歸家，特買一婢，預作將來之妾侍。吾人今日觀之，雖覺可憐可笑。但就此一端，足見當時浙江不得志文人，家庭風氣之一斑。粧樓摘艷編選者會稽錢三錫，亦是子惇及其妻金氏之同時人。僞作之雲貞寄外書及蓮姐寄外詩，皆受當時此社會階層之習俗影響所致，殊不足怪也。

今檢沈畏齋樹德慈壽堂文鈔伍范太學傳略云：

君姓范氏，諱葵，字惇哉。國學生。秀水少司空仲子也。少穎悟，能屬文，出語傑特。司空公奇愛之。君天性孝友，伯兄〔卒〕，君痛伯無子，以長子嗣之。乾隆〔八年〕癸亥春，公開府河北，招余。余乃得與君交。君於詩文，每刻苦不作猶人語。越來春〔指九年甲子。〕

將赴秋闈,乃偕余治舉子業。秋試,同赴武林。明春(指十年乙丑。)余幸計偕入都,君奉太夫人後至。公入補府憲,仍館余於邸。及君至,而余應桐城相國(張廷玉)招以去。洎公遷工部,余出賀公。是時君方得脾疾。余在〔澄懷〕園得訃,不禁悲哭失聲。君生於康熙辛卯年(五十年)某月日,卒於乾隆乙丑年(十年)五月十五日,存年三十五歲。配趙氏,子男三,培、塏、臺。培嗣伯氏。

光緒修歸安縣志叁貳選舉門貢生欄乾隆六年辛酉條載:

沈樹德。拔貢。字申培。是科副榜。甲子舉人。

寅恪案,取沈氏此傳,與陸燿撰范璨神道碑相比較,令人如墜五里霧中,疑竇百端。茲先舉其可疑之點,後作假定之解釋。陸氏為范璨之姻親,又為同里後學。沈氏亦范璨同里,又曾為其幕客,與菼交好。兩氏之文,何以互異如是?此可疑者一也。陸氏文云:「孫三人,塏、城、塏。塏又姻也。」沈氏文云:「子男三,培、塏、臺。培嗣伯氏。」璨孫三人,雖兩文皆從士旁,但何以盡不相同?其改名之由,究因何故?即令前後有所改易,亦不致三人全改。且「培」與「城」,「塏」與「塏」,「臺」與「塏」,意義近似,實無更改之必要。又陸文「塏」為長。嗣伯氏。「塏」與「塏」同義,應作「塏」為長。夫長子通例不出繼,何以長子出繼儀薰。且塏既為陸燿之壻,又為請陸氏作其祖神道碑之人,故陸文所列三人次序,必無差誤。沈文列培為

三人之首,此可疑者二也。陸文云:「子二人,儀薰,國子監生。葰,貢生。」而沈文題作「范太學」。陸文既稱葰為貢生,則葰死時之資格為優貢或拔貢無疑。國子監生又無追贈貢生之理。沈氏為葰作傳,不稱「文學」而稱「太學」。此可疑者三也。茲試作解釋如下:

(一)以通常事理言之,陸、沈兩文作成之先後,雖頗難考知,但欲解脫范璨與科場案之關係,止言葰先璨死,尚嫌不足。故必須別有一人為葰作一詳悉之傳,以證明其非犯罪之范葰。此沈文中葰之生卒年月及享年之數,自不可信。端生適范葰時,年二十三。葰年當已四十餘矣。故寅恪疑端生為繼室。沈文言「配趙氏」,當為葰之元配。培,堦當為趙氏所出。臺即端生子蓉洲歟?再生緣中端生自言「強撫雙兒志自堅」,恐是指趙氏之次子及已身之子,而趙氏所生,出繼伯氏之子及已身之女不計在内也。至沈文謂葰卒於乾隆十年者,恐因欲洗刷葰曾居樂志堂之痕跡,遂改其卒年為乾隆十年,即樂志堂尚未建築之時。蓋其後有關樂志堂之記載,如范來庚南潯志樂志堂條及下引董襄於嘉慶七年所作之詩等,可免與悖哉有所關涉也。

(二)葰子三人改名之由,雖不能確言,恐因科舉制度,改名可免發生枝節問題耶?其以長子出繼伯氏,或者亦與科舉有關,並可藉此為陸燿開脫與葰之關係也。至三人名次之異,當為沈氏誤記耳。

（三）據乾隆四十五年刑部提本陳七供詞中，葵為「宛平縣監生」，故沈文據此稱之為「太學」。頗疑端生之夫范葵，在浙江已取得貢生資格，故陸文稱之為貢生，納粟為國子監生。陸、沈二氏撰文互有差異，遂遺此漏隙也。又沈文盛稱范葵之穎悟，擅長詩文。此與端生述其夫「刻燭催詩笑語聯」之言符合，益可證下論陳七供詞中范葵倩人作詩文之說為誣枉矣。

復次，周慶雲纂南潯志玖宅第門壹「樂志堂」條，後附董襄「人日集范野苹樂志堂，即席次令兄澹人原韻」（題下自注「壬戌」），其「酒壘分兄弟」句下原注云：

　座上惟范氏昆仲及余兄弟三人。

同書貳柒選舉門舉人欄載：

　乾隆四十八年癸卯。董一經。字寶傳。號韋莊。一號韋齋。嵊縣訓導。

　嘉慶六年辛酉。董應椿。一經子。字冠英。號雲帆。

　嘉慶十二年丁卯。董襄。一經子。應椿弟。宛平籍。順天中式。字念喬。號苕庵。

同書貳伍列女門貳「張氏」條云：

　舉人董襄妾。道光〔三年〕癸未襄卒。

寅恪案，樂志堂條最可注意者，為詩題下自注之「壬戌」二字。檢乾隆七年歲次壬戌，嘉慶七年

亦歲次壬戌。董詩題下之壬戌，必非乾隆七年，而是嘉慶七年。蓋乾隆七年尚無樂志堂故也。既是嘉慶七年，則此樂志堂主人野苹，果為何人？但其人既姓范，「野苹」之稱，自是出於詩經小雅鹿鳴篇「食野之苹」句。「野苹」二字，與其人本名之關係，頗難揣測。或是范璨之孫，燿之壻范墀，但墀為長孫，必無「澹人」之親兄，是亦不可能也。若非墀者，則「堿」「堚」二字，不能與「野苹」相關聯，則其人捨范荧莫屬。嘉慶七年壬戌，荧當尚在人間也。

又據毛詩正義叁之貳碩人篇「葭荧揭揭」句略云：

葭蘆荧薍。釋草文。李巡曰，分別葦類之異名。郭璞曰，葦，蘆也。薍似葦而小。大車傳曰，荧，雛也。蘆之初生也。則毛意以葭荧為一草也。陸機（璣）云，薍或謂之荻。至秋堅成，則謂之雈。其初生三月中，其心挺出，其下本大如箸，上銳而細，揚州人謂之馬尾。以今語驗之，則蘆薍別草也。

同書肆之壹大車篇「毳衣如荧」句云：

郭璞曰，荧草色如雛，在青白之間。

同書捌之壹七月篇「八月雈葦」句云：

〔雈葦〕二草。初生者為葭，長大為蘆，成則名為雈。初生為葭，長大為蘆，成則名為葦。葭為葦，薍為雈，此對文耳，散則通矣。小大之異名，故云，薍為雈，葭為葦。

同書玖之貳鹿鳴篇「食野之苹」句云：

篆：苹，藾蕭。正義曰，釋草文。郭璞曰，今藾蒿也。初生亦可食。陸機(璣)疏云，葉青白色，莖似箸而輕脆。始生香，可生食，又可蒸食，是也。易傳者，爾雅云，苹，萍，其大者爲蘋，是水中之草。召南採蘋云，於以採蘋，南澗之濱者也。非鹿所食，故不從之。

(寅恪案，讀者茍取通行本百二十回石頭記第玖回「訓劣子李貴承申飭」所載寶玉上學之李貴答賈政云，「哥兒已經念到第三本詩經，什麼攸攸鹿鳴，荷葉浮萍。小的不敢撒謊」之語相參閱，當亦與榮國府清客相公及賈政同爲之噴飯也。)

吳其濬植物名實圖考壹貳隰草類「牛尾蒿」條略曰：

詩經「取蕭祭脂」。陸璣毛詩草木鳥獸蟲魚疏，蕭荻，今人所謂荻蒿者，是也。按爾雅蕭荻，郭注即蒿。李時珍本草綱目以陸疏苹爲牛尾蒿。與今本不同。

同書壹肆同類「蘆」條云：

夢溪筆談以爲蘆葦是一物。藥中宜用蘆，無用荻理。然今江南之荻，通呼爲蘆，俗方殆無別也。

此條下附毛晉詩疏廣要云：

零婁農曰，强脆而心實者爲荻，柔纖而中虛者爲葦。澤國婦孺，瞭如菽麥。

則范荴所以不用其原來「惇哉」之字,而改稱「野苹」者,蓋以「苹」與「荴」有類似之處,遂取此稱,藉資掩飾歟。但斯乃昔人取義於經典訓詁而改易其稱謂。吾人今日自不必就植物分類之科學之討論此問題也。至董氏所言其兄「澹人」,或是烏程縣志范璨傳所謂「(璨)既貴顯,讓宅於從父兄」之兄弟所出者。今俱難考知,姑附記於此,以供談助。

今得見嘉慶二十二年丁丑重刊織雲樓合刻中陳長生繪聲閣續集有「喜蓉洲甥至京,有懷亡姊感賦」二題,(此集流傳甚少,陳文述當亦未得見,否則其詠繪影閣詩,自不致有「壻遇赦歸,未至家而□□死」之誤也。)則端生之子字「蓉洲」無疑。據西泠閨詠「繪聲閣詠家秋穀」七律中「香車桂嶺青山暮,畫舫蓮莊碧浪遙」一聯,「桂嶺」自指桂林,「蓮莊」與「畫舫」「碧浪」連文,則是指湖州府歸安縣之蓮花莊。考乾隆修湖州府志捌古蹟門歸安縣「蓮花莊」條云:

蓮花莊在府治東南,縣學南。縣志:元趙子昂別業。四面陂水環繞,水中多蓮,絕為幽勝。

此條下引明釋宗泐詩云:

洲渚綠縈迴,芙蓉面面開。

及朱長春詩云:

城傍秋水古橫塘,四面蓮花學士莊。

寅恪案,趙松雪之蓮花莊建築於陂水環繞之地,其地必是高出陂水,即所謂洲渚者。(「蓮花」與「芙蓉」同義。古之所謂芙蓉,即荷花。鄭善果所謂「六郎面似蓮花」與白香山長恨歌「芙蓉如面」等語,皆可為證,而非石頭記「芙蓉女兒誄」之木芙蓉也。)然則「蓉洲」之稱,殆由於此,所以表示仰慕鄉里先賢之意也。

據上文所論,知壋為葵之少子。「壋」字之訓,依左傳昭公三年「初,齊景公欲更晏子之宅」條「請更諸爽壋者」句,杜預注云:

爽,明。壋,燥。

孔穎達正義云:

壋,高地,故爲燥。

由是言之,趙松雪之蓮花莊,建築於陂水中高出於陂水之洲渚上。端生之子既字蓉洲,與其名為壋,實相關聯。若鄙説不誤,益可證科場案中之范葵,即范璨之子也。茲更有可言者,范璨之年齡雖高於陳兆崙,但陳氏稱范氏為「前輩」,乃就登科先後次第而言,非世俗口語所謂「前輩」「晚輩」之義。若真為世俗口語之「前輩」,則在近代文言應稱為「父執行」,或「某丈」。試舉最近人稱謂之一例。如文廷式雲起軒詞中稱李盛鐸為「前輩」。因李氏為光緒十五年己丑科第一甲第二名進士,而文氏為光緒十六年庚寅科第一甲第二名進士,可證「前輩」之稱乃登科次第,

非年齡高下也。憶昔清宣統間,王闓運以舉人賜翰林院檢討,同時名醫徐景明博士亦賜牙科進士。湘綺戲作七律解嘲,其一聯云:

已無齒錄稱前輩,賴有牙科步後塵。

蓋清室已於光緒季年停止科舉,更無同年錄之刊刻,故湘綺有「已無齒錄」之言也。

又端生雖屢次由湖州歸寧其父於杭州,但其臨逝之前,得聞范菼將由伊犁赦還,必與其子蓉洲在湖州家中坐待,自不留滯杭州,以俟其夫之至。蓋范菼既有房宅在南潯,歸後當有祭掃父墓之事。且范菼赦回時,玉敦已死,菼絕不先返杭州與端生會見無疑。至於玉敦妾施氏可能成為繼室一點,則既無文獻可徵,且「扶正」之事,雖偶有之,然以紫竹山房理法謹嚴之家庭,應遵奉齊桓公葵丘之盟「毋以妾為妻」之條文可知也。(見穀梁傳僖公九年及孟子告子章下。)

繪聲閣續稿「哭春田大姊」三首之二「捧到鄉書意轉驚」句與同書「喜蓉洲甥至京,有懷亡姊感賦」七律之詩「話到鄉關倍黯然」句之「鄉」及「鄉關」,究何確指? 今據繪聲閣初稿「寄懷春田家姊」七律云:

白蓮橋畔西風冷,紅蓼灘前夕照多。

慈壽堂文鈔肆「竹墩村記」略云:

去(湖州)郡城定勝門三十里弱,有村曰竹墩者,吾沈氏家焉。記水道曰白蓮池。南港東流之所蓄也。記橋曰雙小橋。一在白蓮池西,一在白蓮池東。皆木。

光緒修歸安縣志捌古蹟門「紅蓼汀」條引康熙縣志云：

在白蘋洲對岸。宋汪藻有調小重山詞詠紅蓼汀。

等材料，可知端生夫家范氏與長生夫家葉氏，同在湖州。夫浙江一省，同時竟有兩范菼，豈不與舊戲劇中五花洞碧波仙子等，同一神話歟？然則此一奇案，恐包龍圖再生，亦難解決矣。鄙意就吾國昔日士大夫階級之婚姻條件言之，端生與秋塘兩家，既非孔李交遊之舊，林薛姑姨之親；又無彩樓拋球之緣，元夕觀燈之遇。今論者竟為之強牽紅絲，使成嘉耦，以效法喬太守之亂點鴛鴦譜，豈不異哉！豈不異哉！

關於范菼科場獲罪一案，尚有可疑者。觀乾隆四十五年東閣大學士兼刑部事務英廉等所上刑部題本略云：

嗣陳七復見孫三、王五，各給銀七兩五錢，言定在場內傳遞文字。陳七又恐孫三、王五與范菼等素未熟識，恐場中傳遞錯誤，當令范菼等於衣襟上各掛小紅包爲記，令孫三、王五暗中認識，記明伊等所坐號舍，以便傳遞。入場後，華振聲〔等〕所作各卷，係王五潛往接收，轉交孫三懷藏，於〔八月〕初九日夜四更時，正在找尋范菼等號口交遞，當被查獲。查陳七因身充謄錄，冀圖重謝，輒包攬多人，僱替作文，轉輾說合，接受過付共銀一百二十餘兩。復敢有心將僱情在場三人，隱匿不吐，欲令出場逸逃，實屬目無法紀。陳七應情

實。

又觀雍正修大清會典柒貳禮部壹陸貢舉壹科舉通例云：

諸士領卷尋號時，有在號外停立者，登時扶送監臨詰問。坐定出題，簾外員役不許私入號房，傳送茶湯。

然則范荄似一不善作四書義及試帖詩之人，與上引陳端生於再生緣中自述其夫之語，殊為不合。鄧意陳七狡猾多謀，既「敢有心將僱倩在場三人，隱匿不吐，欲令出場逸逃」，或者孫三、王五被查獲時，適在范荄號口，因隨意誣指其「僱替作文」（寅恪前以為荄因代人作文得罪。今見陳七口供，自應更正。）藉以搪塞拷問者之刑逼，並為另一僱替之人開脫。果爾，范荄乃替死鬼，即陳文述所謂「為人牽累」者歟？

復次，陳七在此案中為主犯，僅以行第稱，而不直書其名。蓋此人真名若暴露，則與當朝顯要，主事及考官等牽連，故特為隱諱。（此點可參沈垚落帆樓文集拾簡札撫存下「與吳半峰汝霙」所云：「北闈中式者，多半是關節。十八名以鈔襲成文被革，其實取中亦是關節。主司本屬房老改，不改，而後被御史糾也。此時風氣，無勢力者，竟可不必應試。本年順天科場之弊發覺者特百分之一二，且其尤小小者耳。以有宰相子不入場而中式之事，故發覺者概從輕比。蒙蔽二字，至斯為極，無勢力者，尚求進取耶？」沈氏作此書時，為道光二十年庚子，距乾隆

四十五年科場案,適為甲子一周。可見順天鄉試積弊並未稍減。及至咸豐八年戊午順天鄉試,嚴懲主事官柏葰等之後,其弊始革矣。)即此一端,亦可以推知此案口供,必非完全真實也。至范茭善作詩,而不善作八股文之說,則殊不然。檢嘉慶修大清會典事例貳伍禮部門乾隆二十二年條云:

本年欽奉諭旨,會試二場表文,改用五言八韻唐律一首。剔釐科場舊習,務收實效。至將來各省士子,甫登賢書,即應會試。中式後,例應朝考。若非預先於鄉試時,一體用詩,專攻此二體之詩文。今通行本一百二十回之石頭記,為乾隆嘉慶間人所糅合而成者。書中試帖體之詩頗多,蓋由於此。總之,即使范茭善於作詩,而不精通舉子業,如沈氏「范太傳」所言者,亦恐不至於冒大危險,倩人代作也。

同書同卷乾隆四十七年條云:

又議定二場排律一首,移置頭場試藝後。其性理論一道,移置二場經文後。

可知自乾隆二十四年己卯以後,八股文與試帖詩同一重要。故應試之舉子,無不殫竭心力,專攻此二體之詩文。今通行本一百二十回之石頭記,為乾隆嘉慶間人所糅合而成者。書中試帖體之詩頗多,蓋由於此。總之,即使范茭善於作詩,而不精通舉子業,如沈氏「范太學傳」所言者,亦恐不至於冒大危險,倩人代作也。

茲有可附論者,乾隆四十七年,議定將二場排律詩移置頭場試藝後。故兒女英雄傳作者文康,

於第叁伍回「安公子占桂苑先聲」中，述安龍媒以備卷得代，錯用官韻之馬篢山中式第陸名舉人。此事實暗指同治三年甲子順天鄉試，而非雍正年間科場規則也。

復次，今得見繪聲閣初稿「與序堂弟泛舟西湖」，「將歸吳興，呈春田家姊並留贈汪嗣徵夫人」，「寄懷春田家姊」及繪聲閣續稿「哭春田大姊」等題，始知范荧實以嘉慶元年授受大典恩赦獲歸，前所論范荧獲歸之年有二，而以乾隆五十五年獲歸為較可能。既得此新證，自應更正。

至乾隆四十五年九月二十五日刑部題本所云：

陳七又因曾與鑲黃旗滿洲筆帖式恒泰、春泰弟兄抄寫書籍，彼此熟識。

又略云：

不能禁約子弟之翰林院侍講勒善〔等〕革職。

等語，似此勒善與耆獻類徵初編叁貳將帥門所載清國史館本傳初名勒善之勒福，非為一人。但此傳乾隆五十八年以前之事蹟，全不記載。又於道光十五年引見時，更名勒福，並中華書局印清史列傳中，不見勒福傳諸端，恐有所避忌，不能無疑。姑識於此，以待更考。

李桓國朝耆獻類徵初編壹肆貳郎署肆儲大文撰汪森墓誌銘附錢載撰汪孟鋗墓誌銘略云：

考上埳，歷官大理府知府。妣祝氏。大理四子，君其長也。雍正乙卯為娶婦。蓋大理惟及考為家子娶婦，其諸子女皆君於父没後為弟昏，而嫁其妹者也。乾隆元年丙辰君年十六，侍

母從父官盛京,入官京師。〔六年〕辛酉母沒,君扶柩攜弟歸里,卜壤葬母於海鹽山茶花漾之原。〔十年〕乙丑大理出守,遣家歸。〔十一年〕丙寅大理卒於官,君奔迎柩歸,合葬於新阡。

寅恪案,汪上塙雖其本缺為雲南省大理府知府,然亦有調署雲南省首府雲南府之可能。如乾隆三十五年陸燿原任登州府知府,三十六年調山東省首府濟南府知府,即是其例。依此言之,雲南省志職官門雲南府知府欄,列汪上塙之名,並非偽傳,亦未可知也。又端生之母汪氏,是否嫡出,抑或庶出,未能考知。假使為庶出,則汪氏有隨其生母侍其父汪上塙往雲南之可能,如兒女英雄傳第貳回「沐皇恩特受河工令」略云:

〔安〕老爺開口先向着太太說道:「太太,如今咱們要作外任了。」又聽老爺往下說道:「我的主意打算暫且不帶家眷。到了明秋,我再打發人來接家眷不遲。第一件心事,明年八月鄉試,玉格務必教他去觀觀場。」太太說:「老爺纔說的一個人兒先去的話,還得商量商量。萬一得了缺,或者署事,有了衙門,老爺難道天天在家不成。別的慢講,這顆印是個要緊的。衙門裏要不分出個內外來,斷乎使不得。」老爺說:「何嘗不是呢?我也不是沒想到這裏,但是玉格此番鄉試,是斷不能不留下的。既留下他,不能不留下太太照管他。這是相因而至的事情,可有甚麼法兒呢?」公子便說道:「請父母只管同去,把我留在家

裏。」老爺明決料着自己一人前去,有多少不便,便向太太道:「譬如咱們早在外任,如今從外打發他進京鄉試,難道我合太太還能跟着他不成?」太太聽了,便向老爺說道:「老爺主見自然不錯,就這樣定規了罷。」

寅恪案,清國子監題名碑乾隆十三年戊辰科會試,則其前一年,即乾隆十二年丁卯有鄉試。汪上塏不令其子孟鋗於乾隆十年,隨己身同赴雲南,而遣家歸秀水,蓋欲孟鋗留居故里,預備應乾隆十二年丁卯科浙江鄉試。此點與安老爺不令安公子隨己身赴淮安,而令其留京應順天鄉試者相同。又安老爺此時不過一候補河工令,尚未得實缺,或署事。但安太太必欲分出個內外,以保管官印。據國朝耆獻類徵貳叁貳沈大成代撰汪上塏墓誌銘略云:

配祝氏,封宜人,前卒。子孟鋗、仲鉁、季鏗。其箋所生則彝銘也。

紫竹山房文集壹伍「顯考皇亭府君行述」略云:

府君終於乾隆八年三月二十四日寅時。孫六人。長玉萬,聘吳氏,雲州知州,現任大名府同知日省公第五女。次玉敦,聘汪氏,現任刑部河南司郎中起巖公次女。

同書同卷「顯妣沈太宜人行述」略云:

先慈終於乾隆戊辰年(十三年)六月二十四日巳時。孫男六人。玉萬太學生,娶吳氏,原任大名府同知日省公第五女。玉敦錢塘學附生,聘汪氏,原任刑部河南司郎中、雲南大理府

知府起嚴公女。

同書同卷「冢婦吳氏行略」略云：

〔乾隆十五年〕庚午秋，玉萬暨次兒玉敦，忝與鄉薦。明年正月長孫女端兒生。次子婦出也。

則是端生母汪氏，乃上塿次女。嫡配或箎室所生，固難決定，但例以安老爺以候補河工令之資格往淮安，安太太因安老爺無側室，故須親身隨往，以分內外。何況上塿乃實缺知府，當由北京赴雲南，較由北京赴淮安，交通更困難。上塿嫡配祝氏，雖已前卒，往大理前，又遣孟鋗歸里，似仍須攜帶少數眷屬同行。苟欲攜眷屬同行，則此眷屬必是彝銘之母。端生之母汪氏，既是上塿次女，頗有為彝銘同母姊之可能。依上引材料綜合推計，端生之母汪氏，果隨父母往雲南，其時年齡當在十歲以上。以十歲以上之女子，自然熟悉滇省之地理風俗狀況，故後來可以轉告再生緣之作者。所可笑者，沈大成代撰之汪上塿墓誌銘，絕不提及上塿有二女。若非陳句山尚有男女平等之觀念，其著作關於婦女方面，亦詳載記，否則此一代才女之母，竟成西遊記第壹回「靈根育孕源流出」由石卵迸裂而出之孫悟空矣。呵呵！

或有執石頭記述賈政放學差及任江西糧道，王夫人、趙姨娘、周姨娘皆不隨往以相難。鄙意石頭記中，不合事理者頗多，如晴雯所補之孔雀毛裘，乃謂出自俄羅斯國之類。若更證以才女戴

蘋南隨其翁趙老學究赴江西學政之任,旋沒於任所一事,尤為實例實據。足見兒女英雄傳所言,非憑虛臆造者也。

戴蘋南「織素圖次韻」三首之二「絕勝崔徽傳裹人」句中之「崔徽」,宋元人詩詞用此典者頗多,茲舉數例於下,以見一斑。

蘇文忠公詩合注壹伍「和趙郎中見戲」二首之二「空唱崔徽上白樓」句下王注云:

〔趙〕堯卿(夔)曰,裴欽中以興元幕使河中,與徽相從者累月,欽中使罷,徽不能從,情懷怨抑。後數月,東川幕白知退(行簡)將自河中歸,徽乃託人寫真,因捧書謂知退曰,為妾謂裴郎,崔徽一旦不及卷中人,徽且為郎死矣!明日遂疾,發狂。元稹為作崔徽歌以叙其事。

又施武子宿注云:

張君房麗情集元微之崔徽傳云,蒲女也。裴敬中使蒲,徽一見動情,不能忍。敬中使回,徽以不能從為恨,久之成疾,寫真以寄裴。世有伊州曲施注云:

同書貳捌「章質夫寄惠崔徽真」題下施注云:

元微之作崔徽歌,世有伊州曲,蓋採其歌成之也。

楊廉夫維楨鐵厓三種之一鐵厓逸編注捌續幣集二十首之七「照畫」云:

畫得崔徽卷裏人，菱花秋水脫真真。只今顏色渾非舊，燒藥爐頭過一春。

史邦卿達祖梅溪詞三姝媚云：

記取崔徽模樣，歸來暗寫。

許彥周顗彥周詩話云：

詩人寫人物，態度至不可移易。元微之李娃行云，鬐鬟峨峨高一尺，門前立地看春風。此定爲娼婦。

寅恪案，鐵厓「畫得崔徽卷裏人」句，出自「崔徽一旦不及卷中人」之語。戴蘋南「絕勝崔徽傳裏人」句，亦與鐵厓同用一典。故句中之「傳」字，似當作「卷」，而非用蘇詩施注所引之麗情集「崔徽傳」之「傳」。不過蘋南更承用鐵厓此句耳。蓋蘋南學問實由其父璐處得來。至若其八股名家之阿翁趙佑，必不許子婦閱讀此類雜書也。

又唐人小説例以二人合成之。一人用散文作傳，一人以歌行詠其事。如陳鴻作長恨歌傳，白居易作長恨歌。元稹作鶯鶯傳，李紳作鶯鶯歌。白行簡作李娃傳，元稹作李娃行。白行簡作崔徽傳，元稹作崔徽歌。此唐代小説體例之原則也。（可參拙著元白詩箋證稿第壹章「長恨歌」。）其言元微之作崔徽傳者，當是行文偶誤，不足爲據。至若韓愈作「石鼎聯句」，（見全唐詩第壹壹函聯句肆韓愈。）則以散文與歌詩不能分割，故一人兼爲之。此乃變例，不可執以概全部唐人

小說之體裁也。

茲別有可注意者，許彥周謂元微之「髻鬟峨峨高一尺」句，乃寫當時婦女之髮型，可供研究唐代社會史者之參考。然則當日所謂時髦婦女之髮型，有類今日所謂原子爆炸之形態，或無常式耶？寅恪曾遊歷海外東西洋諸國，所見當時所詫為奇異者，數十年後，亦已認為通常，不足為怪矣。斯則關於風氣之轉變，特舉以告讀司馬彪續漢書五行志述「服妖」諸條之君子。

又三益堂再生緣原本刻於道光元年。是「元」字非「九」字之誤，應據以改正。但「花甲」即六十歲。五十一歲可言「開六秩」，而梁德繩以「近花甲」為言，未免有語病。若易「嗟我今年將近花甲」為「嗟我今年開六秩」，則更妥適，不至令人疑惑耳。（此點可參白氏文集叁柒「喜老自嘲」詩末二句「行開第八秩」，可謂盡天年。）

又陳文述西泠閨詠壹伍「繪影閣詠家□□」詩原注「時俗謂七十已上為開第八秩」中「夏簟清兮晝不暮，冬釭凝兮夜何長」之典，與此詩第貳句「別緒年年悵女牛」相應。今刻本「釭」誤作「缸」，不可從。苦將夏簟冬釭怨」句，乃用文選壹陸江文通「別賦」

論再生緣校補記後序

論再生緣一文乃頹齡戲筆，疏誤可笑。然傳播中外，議論紛紜。因而發見新材料，有為前所未

知者，自應補正。茲輯為一編，附載簡末，亦可別行。至於原文，悉仍其舊，不復改易，蓋以存著作之初旨也。噫！所南心史，固非吳井之藏。孫盛陽秋，同是遼東之本。點佛弟之額粉，裹王娘之腳條，長則更臭。知我罪我，請俟來世。

一九六四年歲次甲辰十一月十八日文盲叟陳寅恪識於廣州金明館久已先乾。

(原載一九七八年七月、十月中華文史論叢第柒、捌輯)

論唐高祖稱臣於突厥事

吾民族武功之盛,莫過於漢唐。然漢高祖困於平城,唐高祖亦嘗稱臣於突厥,漢世非此篇所論,獨唐高祖起兵太原時,實稱臣於突厥,而太宗又為此事謀主,後來史臣頗諱飾之,以至其事之本末不明顯於後世。夫唐高祖太宗迫於當時情勢不得已而出此,僅逾十二三年,竟滅突厥而臣之,大恥已雪,奇功遂成,又何諱飾之必要乎?茲略取舊記之關於此事者,疏通證明之,考興亡之陳跡,求學術之新知,特為拈出此一重公案,願與當世好學深思讀史之有心人共參究之也。

舊唐書陸柒李靖傳(參新唐書貳壹伍上突厥傳貞觀政要貳任賢篇大唐新語柒容恕篇)云:

太宗初聞靖破頡利,大悅,謂侍臣曰:朕聞「主憂臣辱,主辱臣死」。往者國家草創,太上皇(高祖)以百姓之故,稱臣於突厥,朕未嘗不痛心疾首,志滅匈奴,坐不安席,食不甘味,今者暫動偏師,無往不捷,單于款塞,恥其雪乎。

寅恪案,太宗所謂國家草創,即指隋末高祖起兵太原之時,當此時,中國與突厥之關係為何如

試觀通典壹玖柒邊防典突厥條上（參新唐書貳壹伍上突厥傳唐會要玖肆北突厥條）云：

及隋末亂離，中國人歸之者甚衆，又更強盛，勢凌中夏，迎蕭皇后，置於定襄，薛舉竇建德王世充劉武周梁師都李軌高開道之徒，雖僭尊號，俱北面稱臣，東自契丹，西盡吐谷渾高昌諸國皆臣之，控弦百萬，戎狄之盛，近代未有也。大唐起義太原，劉文靜聘其國，引以爲援。

則知隋末中國北方羣雄幾皆稱臣於突厥，爲其附庸，唐高祖起兵太原，亦爲中國北方羣雄之一，豈能於此獨爲例外？故突厥在當時實爲東亞之霸主，史謂「戎狄之盛，近代未有」。誠非虛語，請更引史傳以證釋之。

舊唐書伍伍劉武周傳（參新唐書捌陸劉武周傳）略云：

突厥立武周爲定楊可汗，遺以狼頭纛，因僭稱皇帝，建元爲天興。

資治通鑑壹捌叁隋紀柒略云：

恭帝義寧元年（即煬帝大業十三年），突厥立〔劉〕武周爲定楊可汗，遺以狼頭纛。武周即皇帝位，改元天興。

通鑑考異云：

新舊唐書武周皆無國號，惟創業起居注云，國號定楊。

通鑑此條胡注云：

言將使之定楊州也。

大唐創業起居注上云：

大業十三年二月己丑，馬邑軍人劉武周殺太守王仁恭，據其郡而自稱天子，國號定楊。武周竊知煬帝於樓煩築宮厭當時之意，故稱天子，規而應之。

寅恪案，胡氏釋定楊爲定楊州，楊揚雖古通用，然楊爲隋之國姓，似以定楊隋爲釋較胡說之迂遠爲勝，至創業起居注以「國號定楊」爲言者，蓋突厥錫封劉武周爲定楊可汗，溫大雅於此頗有所諱，故以「國號定楊」爲言，司馬君實不解此意，而疑兩唐書與創業起居注異，其實武周之所謂國號即其所受突厥之封號也。

新唐書捌柒梁師都傳（參舊唐書伍陸梁師都傳）略云：

自爲梁國，僭皇帝位，建元永隆，始畢可汗遺以狼頭纛，號大度毗伽可汗解事天子。

寅恪案，突厥語「大度」爲「事」，「毗伽」爲「解」，突厥語大度毗伽可汗即漢語解事天子也。

新唐書玖貳李子和傳云：

北事突厥，納弟爲質，始畢可汗册子和爲平楊天子，不敢當，乃更署爲屋利設。

資治通鑑壹捌叁隋紀柒略云：

恭帝義寧元年三月，始畢以劉武周爲定楊天子，梁師都爲解事天子，子和爲平楊天子，子和固辭不敢當，乃更以爲屋利設。

胡注云：

平楊猶定楊也。

寅恪案，胡氏之意，平楊爲平楊州，似不如以平楊隋爲釋較勝也。

資治通鑑壹捌捌唐紀肆略云：

武德三年七月驃騎大將軍可朱渾定遠告并州總管李仲文與突厥通謀，欲俟洛陽兵交，引胡騎直入長安，甲戌，命皇太子鎮蒲反以備之。四年二月，并州安撫使唐儉密奏真鄉公李仲文與妖僧志覺有謀反語，又娶陶氏之女，以應桃李之謠，諂事可汗，甚得其意，可汗許立爲南面可汗，及在并州，贓賄狼藉。上命裴寂陳叔達蕭瑀雜鞫之。乙巳，仲文伏誅。

寅恪案，綜合前引史料觀之，則受突厥之可汗封號者，亦受其狼頭纛，其有記受突厥封號，而未及狼頭纛者，蓋史臣略而不載耳。故突厥之狼頭纛猶中國之印綬，受封號者，必亦受此物，所以表示其屬於突厥之系統，服從稱臣之義也。據通典壹玖柒邊防典突厥傳上（參隋書捌肆突厥傳北史玖玖突厥傳等）略云：

旗纛之上，施金狼頭，侍衛之士，謂之附離，夏言亦狼也，蓋本狼生，志不忘舊。

可知狼為突厥民族之圖騰。隋末北方羣雄,既受突厥之狼頭纛,則突厥亦以屬部視之矣,哀哉。紀載唐高祖太宗起兵太原之事,溫大雅大唐創業起居注一書,為最重要之史料,世所共知。其述當時與突厥之關係,最為微妙,深堪翫味,如改旗幟一事,辭費文繁,或者以為史家鋪陳開國祥瑞之慣例,則不達溫氏曲為唐諱之苦心。又稱臣突厥之主謀,實為太宗,實可據其述與國寺兵脅迫高祖服從突厥一事得以推知。茲不避繁冗之嫌,頗詳錄溫氏之書與此二事有關者推論之如下::

裴寂等乃因太子秦王等入啓,請依伊尹放太甲、霍光廢昌邑故事,廢皇帝而立代王,興義兵以檄郡縣,改旗幟以示突厥,師出有名,以輯夷夏。於是遣使以衆議馳報突厥,始畢依旨,即遣其柱國康鞘利級失熱寒特勤達官等送馬千疋來太原交市,仍許遣兵送帝往西京,多少惟命。康鞘利將至,軍司以兵起甲子之日,又符讖尚白,故亦云白衣天子,故隋主恆服白衣,每向江都,擬於東海。又有桃李子歌曰,桃李子,莫浪語,黃鵠繞山飛,宛轉花園裏。案李為國姓,桃當作陶,若言陶唐也,配李而言,故云桃花園,宛轉屬旌幡。汾晉老幼謳歌在耳,忽覩靈驗,不勝懽躍。諸軍稍旆皆放此,營壁城壘幡旗四合,赤白相映若花園。開皇初太原童謠云,法律存,道德在,白旗天子出東海。常亦云白衣天子,故隋主恆服白衣,每向江都,擬於東海。誅紂之旗牧野臨時所仗,未入西郊,無容預執,宜兼以絳雜半續之。帝曰,此可謂掩耳偷鈴,然逼於突厥,

寅恪案,唐高祖之起兵太原,即叛隋自立,別樹一不同之旗幟以表示獨立,其事本不足怪,但太宗等必欲改白旗以示突厥,則殊有可疑。據大唐創業起居注下載裴寂等所奏神人太原慧化尼歌謠詩讖有云:

童子木上懸白旛,胡兵紛紛滿前後。

是胡兵即突厥兵,而其旗幟,為白色之明證。此歌謠之意,謂李唐樹突厥之白旗,而突厥兵從之,蓋李唐初起兵時之旗為絳白相雜,不得止言白旛也。所可笑者,開皇初太原童謠本作白衣天子出東海,太宗等乃強改白衣為白旗,可謂巧於傅會者矣。夫歌謠符讖,自可臨時因事偽造,但不如因襲舊有之作稍事改換,更易取信於人,如後來玄宗時佞臣之改作得寶歌,即是顯著之例(見舊唐書壹佰伍韋堅傳)。豈所謂效法祖宗,師其故智者耶?唐高祖之不肯竟改白旗而用調停之法兼以絳雜半續之者,蓋欲表示一部分之獨立而不純服從突厥之意。據隋書壹高祖紀云:

〔開皇元年〕六月癸未,詔以初受天命,赤雀降祥,五德相生,赤爲火色。其郊及社廟,依服冕之儀,而朝會之服,旗幟犧牲,盡令尚赤。

是隋色為絳赤,即是當時中夏國旗之色,而資治通鑑壹捌肆隋紀義寧元年六月雜用絳白以示突厥句下胡注云:

隋色尚赤，今用絳而雜之以白，示若不純於隋。

胡氏知隋色尚赤，乃謂「示若不純於隋」夫唐高祖起兵叛立，其不純於隋自不待言，但其初尚欲擁戴幼主不即革隋命，則旗色純用絳赤本亦不妨，其所以「用絳而雜之以白」者，實表示維持中夏之地位而不純臣服於突厥之意，胡氏之說，可謂適得其反者也。總之，高祖起兵時，改易旗色，必與臣服於突厥有關。高祖所以遲疑不決，太宗等所以堅執固請，溫氏所以詳悉記述歌謠符讖累數百言者，其故正在於此。世之讀史者，不可視為釀詞而忽略之也。

大唐創業起居注上云：

　帝引康鞘利等禮見於晉陽宮東門之側舍，受始畢所送書信，帝偽貌恭，厚加饗賄。鞘利等下敬愛，必爲人主，我等見之人，不覺自敬。

　大悅，退相謂曰，唐公見我蕃人，尚能屈意，見諸華夏，情何可論，敬人者人皆敬愛，天

寅恪案，此溫氏用委婉之筆叙述唐高祖受突厥封號稱臣拜伏之事。「始畢所送書信」，即突厥敕封高祖為可汗之册書，「帝偽貌恭」，即稱臣拜伏之義。唐高祖此時所受突厥封號究為何名，史家久已隱諱不傳，但據上引李仲文事觀之，則高祖與仲文俱為太原主將，突厥又同欲遣兵送之入長安，而仲文所受突厥之封號據稱為「南面可汗」。由此推之，高祖所受封號亦當相與類似，

可無疑也。

總而言之,太宗既明言高祖於太原起兵時曾稱臣於突厥,則與稱臣有關之狼頭纛及可汗封號二事,必當於創業史料中得其經過跡象。惜舊記諱飾太甚,今祇可以當時情勢推論之耳。

高祖稱臣於突厥,其事實由太宗主持於內,而劉文靜執行於外,請略引史傳,以證明之。

大唐創業起居注上略云:

始畢得書大喜,其部達官等曰,天將以太原與唐公,必當平定天下,不如從之以求寶物,但唐公欲迎隋主,共我和好,此語不好,我不能從。唐公自作天子,我則從行,覓大勳賞,不避時熱,當日即以此意作書報帝。帝開書歎息久之曰,孤為人臣須盡節,本慮兵行已後,突厥南侵,屈節連和,以安居者,不謂今日所報,更相要逼,乍可絕好藩夷,無有從其所勸,突厥之報帝書也,謂使人曰,唐公若從我語,即宜急報我,遣大達官往取進止,官僚等以帝辭色懍然,莫敢咨諫。興國寺兵知帝未從突厥所請,往往偶語曰,「公若更不從突厥,我亦不能從公。」裴寂劉文靜等知此議,以狀啟聞。

但唐公欲迎隋主,共我和好,此語不好,我不能從。(按原文已見上,此處不重。)

寅恪案,突厥之欲高祖自為天子,即欲其受可汗封號,脫離楊隋而附屬突厥之意,其事本不足怪,但興國寺兵,何以亦同突厥,以此要迫,考大唐創業起居注上云:

帝遣長孫順德趙文恪等率興國寺所集兵五百人總取秦王部分。

即冊府元龜柒帝王部創業門云：

〔唐〕高祖乃命太宗與晉陽令劉文靜及門下客長孫順德劉弘基等各募兵，旬日之間，眾且一萬，文靜頓於興國寺，順德頓於阿育王寺。

夫劉文靜長孫順德（順德為太宗長孫后之族叔，避遼東之役逃匿於太原，見舊唐書伍捌及新唐書壹佰伍長孫順德傳等。）等皆為太宗之黨，其兵又奉高祖之命歸太宗統屬，今居然與突厥通謀，迫脅高祖，叛楊隋而臣突厥，可知太宗實為當時主謀稱臣於突厥之人，無復疑問也。太宗為稱臣於突厥之主謀，執行此計劃之主要人物則是劉文靜，據舊唐書伍柒劉文靜傳略云：

隋末為晉陽令，煬帝令繫於郡獄，太宗以文靜可與謀議，入禁所視之。高祖開大將軍府，以文靜為軍司馬，文靜勸改旗幟，以彰義舉，又請連突厥，以益兵威，高祖並從之。因遣文靜使於始畢可汗，始畢曰，唐公起事，今欲何為？文靜曰，願與可汗兵馬同入京師，人眾土地入唐公，財帛金寶入突厥。始畢大喜，即遣將康鞘利領騎二千隨文靜而至，〔武德二年〕裴寂又言曰，當今天下未定，外有勍敵，今若赦之，必貽後患。高祖竟聽其言，遂殺文靜。

及大唐創業起居注上略云：

乃命司馬劉文靜報使,並取其兵,靜辭,帝私誡之曰,胡兵相送,天所遣來,數百之外,無所用之,所防之者,恐武周引爲邊患,取其聲勢,以懷遠人,公宜體之,不須多也。

則與突厥始畢可汗議訂稱臣之約者,實爲劉文靜,其人與太宗關係密切,觀太宗往視文靜於獄中一事,即可推知,文靜即爲李唐與突厥連繫之人,及高祖入關後漸與突厥疏遠,而文靜乃被殺矣,裴寂謂「當今天下未定,外有勍敵」「天下未定」指劉武周王世充竇建德等,「外有勍敵」指突厥,而新唐書捌捌劉文靜傳及通鑑壹捌陸唐紀武德二年殺劉文靜條俱省略「外有勍敵」之語,實由未解文靜與突厥之關係所致也。李唐與突厥之連繫人劉文靜雖死,而太宗猶在,觀高祖於遣劉文靜使突厥時,以防劉武周爲言,則唐與突厥關係親密,武周自當受突厥之約束,不敢侵襲太原,若唐與突厥之關係疏遠,則武周必倚突厥之助略取并州。據舊唐書壹玖肆上突厥傳上略云:

　武德二年始畢授馬邑賊帥劉武周兵五百餘騎,遣入句注,又追兵大集,欲侵太原。是月始畢卒,立其弟俟利弗設,是爲處羅可汗。

可知突厥始畢可汗初與劉文靜定約,立唐高祖爲可汗,約束劉武周,不得侵襲太原。迨唐入關後,漸變前此之恭遜,故始畢又改命武周奪取太原矣。

劉武周既得突厥之助,奪取太原,兵鋒甚盛,將進逼關中,唐室不得不使劉文靜外,其他唯一

李唐與突厥之連繫人即太宗出膺抗拒劉武周之命,此不僅以太宗之善於用兵,實亦由其與突厥有特別之關係也。觀舊唐書壹玖肆上突厥傳上云:

太宗在藩,受詔討劉武周,師次太原,處羅遣其弟步利設率二千騎與官軍會。六月處羅至并州,總管李仲文出迎勞之。留三日,城中美婦人多為所掠。仲文不能制,俄而處羅卒。

則突厥昔之以兵助劉武周者,今反以兵助李世民,前後態度變異至此,其關鍵在太宗與突厥之特別關係,可推知也。

又據舊唐書貳太宗紀上略云:

[武德]七年秋,突厥頡利突利二可汗自原州入寇,侵擾關中。有說高祖云,祇為府藏子女在京師,故突厥來,若燒却長安而不都,則胡寇自止。高祖乃遣中書侍郎宇文士及行山南可居之地,即欲移都。蕭瑀等皆以為非,然終不敢犯顏正諫。太宗獨曰,幸乞聽臣一申微效,取彼頡利。若一兩年間不繫其頸,徐建遷都之策,臣當不敢復言。高祖怒,仍遣太宗將三十餘騎行勘。還日固奏,必不可移都,高祖遂止。

及新唐書柒玖隱太子傳云:

突厥入寇,帝議遷都,秦王苦諫止。建成見帝曰,秦王欲外禦寇,沮遷都議,以久典兵,

而謀篡奪。帝寖不悅。

可見太宗在當時被目為挾突厥以自重之人，若非起兵太原之初，主謀稱臣於突厥者，何得致此疑忌耶？斯亦太宗為當時主謀者之一旁證也。

又舊唐書壹玖肆上突厥傳上（參冊府元龜玖捌壹外臣部盟誓門）略云：

（武德）七年八月，頡利突利二可汗舉國入寇，太宗乃親率百騎馳詣虜陣，告之曰，國家與可汗誓不相負，何為背約深入吾地？我秦王也，故來一決。可汗若自來，我當與可汗兩人獨戰，若欲兵馬總來，我唯百騎相禦耳。頡利弗之測，笑而不對。太宗又前，令騎告突利曰，爾往與我盟，急難相救，爾今將兵來，何無香火之情也？亦宜早出，一決勝負。突利亦不對。太宗前，將渡溝水，頡利見太宗輕出，又聞香火之言，乃陰猜反間，因遣使曰，王不須渡，我無惡意，更欲共王自斷當耳。於是稍引却，各歛軍而退。太宗因縱反間於突利，突利悅而歸心焉，遂不欲戰。其叔侄內離，頡利欲戰不可，因遣突利及夾畢特勒（勤）阿史那思摩奉見請和，許之。突利因自託於太宗，願結為兄弟。

寅恪案，太宗在當時不僅李唐一方面目之為與突厥最有關係之人，即突厥一方面亦認太宗與之有特別關係。然則太宗當日國際地位之重要，亦可想見矣。至太宗與突利結為兄弟疑尚遠在此時之前，據舊唐書壹玖肆上突厥傳上略云：

〔武德〕九年七月,頡利自率十萬餘騎進寇武功,頡利遣其腹心執失思力入朝為覘,因張形勢云,二可汗總兵百萬,今已至矣。太宗謂之曰,我與突厥,面自和親,汝則背之,我實無愧。又義軍入京之初,爾父子(指頡利突利言,如昔人稱漢疏廣受父子之例,蓋頡利突利為叔父及從子也。)並親從我。

然則所謂香火之盟,當即在唐兵入關之時也,通鑑壹玖壹唐紀柒武德柒年胡注釋香火之盟固是,但仍未盡,考教坊記(據説郛本)坊中諸女條云:

坊中諸女以氣類相似,約為香火兄弟,每多至十四五人,少不下八九輩。有兒郎娉之者,輒被以婦人稱呼,即所娉者兄見呼為新婦,弟見呼為嫂也。兒郎有任官僚者,宮參與內人對同日,垂到內門,車馬相逢,或搴車簾呼阿嫂若新婦者,同黨未達,殊為怪異,問被呼者,笑而不答。兒郎既娉一女,其香火兄弟多相奔,云學突厥法。又云,我兄弟相憐愛,欲得嘗其婦也。主者知亦不妬,他香火即不通。

故突厥可視太宗為其共一部落之人,是太宗雖為中國人,亦同時為突厥人矣!其與突厥之關係,密切至此,深可驚訝者也。

則太宗與突利結香火之盟,即用此突厥法也。

舊記中李唐起兵太原時稱臣於突厥一事,可以推見者,略如上述,此事考史者所不得為之諱,亦自不必為之諱也。至後來唐室轉弱為強,建功雪恥之本末,軼出本篇範圍,故不涉及。嗚

呼！古今唯一之「天可汗」，豈意其初亦嘗效劉武周輩之所為耶？初雖效之，終能反之，是固不世出人傑之所為也。又何足病哉！又何足病哉！

（原載一九五一年六月嶺南學報第拾壹卷第貳期）

韋莊秦婦吟校箋

中和癸卯春三月，洛陽城外花如雪。東西南北路人絕，綠楊悄悄香塵滅。路旁忽見如花人，獨向綠楊陰下歇。鳳側鸞欹鬢腳斜，紅攢黛斂眉心折。借問女郎何處來，含嚬欲語聲先咽。回頭斂袂謝行人，喪亂漂淪何堪說。三年陷賊留秦地，依稀記得秦中事。君能為妾解金鞍，妾亦與君停玉趾。前年庚子臘月五，正閉金籠教鸚鵡。斜開鸞鏡懶梳頭，閒憑雕欄慵不語。忽看門外起紅塵，已見街中攛金鼓。居人走出半倉皇，朝士歸來尚疑誤。是時西面官軍入，擬向潼關為警急。皆言博野自相持，盡道賊軍來未及。須臾主父乘奔至，下馬入門癡似醉。適逢紫蓋去蒙塵，已見白旗來匝地。扶羸攜幼競相呼，上屋緣牆不知次。南鄰走入北鄰藏，東鄰走向西鄰避。北鄰諸婦咸相湊，戶外崩騰如走獸。轟轟崑崑乾坤動，萬馬雷聲從地湧。火迸金星上九天，十二官街煙烘炯。日輪西下寒光白，上帝無言空脈脈。陰雲暈氣若重圍，宦者流星如血色。紫氣潛隨帝座移，妖光暗射臺星坼。家家流血如泉沸，處處冤聲聲動地。舞伎歌姬盡暗捐，嬰兒稚女皆生棄。東鄰有女眉新畫，傾國傾城不知價。長戈擁得上戎車，回首香閨淚盈

把。旋抽金線學縫旗，纔上雕鞍教走馬。有時馬上見良人，不敢迴眸空淚下。西鄰有女真仙子，一寸橫波翦秋水。妝成只對鏡中春，年幼不知門外事。一夫跳躍上金階，斜袒半肩欲相恥。牽衣不肯出朱門，紅粉香脂刀下死。南鄰有女不記姓，昨日良媒新納聘，琉璃階上不聞行，翡翠簾間空見影。忽看庭際刀刃鳴，身首支離在俄頃，仰天掩面哭一聲，女弟女兄同入井。北鄰少婦行相促，欲下迴梯梯又摧。已聞擊託壞高門，不覺攀緣上重屋，須臾四面火光來，欲下迴梯梯又摧。煙中大叫猶求救，梁上懸屍已作灰。妾身幸得全刀鋸，不敢踟躕久回顧。旋梳蟬鬢逐軍行，強展蛾眉出門去。舊里從茲不得歸，六親自此無尋處。蓬頭面垢猶眉赤，幾轉橫波看不得。夜臥千重劍戟圍，朝湌一味人肝膽。鴛幃縱入豈成歡，寶貨雖多非所愛。蘭省諸郎皆鼠魅，還將短髮戴華簪。衣裳顛倒言語異，面上誇功雕作字。柏臺多士盡狐精，朝聞奏對入朝堂，暮見喧呼來酒市。翻持象笏作三公，倒佩金魚為兩史。昨日官軍收赤水，赤水去城一百里，一朝五鼓人驚起，叫嘯喧爭如竊議。夜來探馬入皇城，昨日官軍收赤水，必謂軍前已銜璧，簌旗掉劍卻來歸，又道官軍悉敗績。四面從茲多厄束，一斛黃金一升粟。尚讓廚中食木皮，黃巢机上刲人肉。東南斷絕無糧

道，溝壑漸平人漸少。六軍門外倚僵尸，七架營中填餓殍。長安寂寂今何有，廢市荒街麥苗秀。採樵砍盡杏園花，修寨誅殘御溝柳。華軒繡轂皆銷散，甲第朱門無一半。含元殿上狐兔行，花萼樓前荊棘滿。昔時繁盛皆埋沒，舉目淒涼無故物。內庫燒為錦繡灰，天街踏盡公卿骨。來時曉出城東陌，城外風煙如塞色。路旁時見游奕軍，坡下寂無迎送客。霸陵東望人烟絕，樹鎖驪山金翠滅。大道俱成棘子林，行人夜宿牆匡月。明朝曉至三峰路，百萬人家無一戶。破落田園但有蒿，摧殘竹樹皆無主。路旁試問金天神，金天無語愁於人。廟前古柏有殘枿，殿上金爐生暗塵。一從狂寇陷中國，天地晦冥風雨黑。案前神水呪不成，壁上陰兵驅不得。閑日徒歆奠饗恩，危時不助神通力。我今愧恧拙為神，且向山中深避匿。寰中簫管不曾聞，筵上犧牲無處覓。旋教魆鬼傍鄉村，妄聞此語愁更愁。天遣時災非自由。神在山中猶避難，何須責望東諸侯。前年又出楊震關，誅剝生靈過朝夕。如從地府到人間，頓覺時清天地閑。暮插金釵唯獨行，蒲津主帥能戢兵，舉頭雲際見荊山。蒼蒼面帶苔蘚色，卻坐支頤仰天哭。小姑慣織褐絁袍，中婦能炊紅黍飯。千間倉兮萬絲箱，黃巢過後猶殘半。自從洛下屯師旅，日夜巡兵入村

聲，陝州主帥忠且貞，不動干戈惟守城。明朝又過新安東，路上乞漿逢一翁，老翁暫起欲陳詞，

隱隱攜身藏蓬荻中，問翁本是何鄉曲，底事寒天霜露宿，鄉園本貫東畿縣，歲歲耕桑臨近旬。年輸戶稅三千萬，

秦婦吟一卷

塢。匣中秋水拔青蛇,旗上高風吹白虎。入門下馬若旋風,馨室傾囊如卷土。家財既盡骨肉離,今日垂年一身苦。一身苦兮何足嗟,山中更有千萬家。朝飡山上尋蓬子,夜宿霜中臥荻花。妾聞此父傷心語,竟日闌干淚如雨。出門惟見亂梟鳴,更欲東奔何處所。仍聞汴路舟車絕,又道彭門自相殺。野色徒銷戰士魂,河津半是冤人血。適聞有客金陵至,見說江南風景異。自從大寇犯中原,戎馬不曾生四鄙。誅鋤竊盜若神功,惠愛生靈如赤子。城壕固護戟金湯,賦稅如雲送軍壘。奈何四海盡滔滔,湛然一鏡平如砥。避難徒為闕下人,懷安却羨江南鬼。願君舉棹東復東,詠此長歌獻相公。

天復伍年乙丑歲十二月十五日敦煌郡金光明寺學仕張龜寫。

戊辰之春,俞銘衡君為寅恪寫韋端己秦婦吟卷子,張於屋壁。八年以來,課業餘暇,偶一諷詠,輒若不解,雖於一二字句稍有所校釋,然皆瑣細無關宏旨。獨端己此詩所述從長安至洛陽及從洛陽東奔之路程,本寫當日人民避難之慘狀,而其晚年所以諱言此詩之由,實繫於詩中所述從長安達洛陽一段經過。此點為近日論此詩者所未詳,遂不自量,欲有所妄說。至詩中字句之甚不可解及時賢之說之殊可疑者,亦略申鄙見,附綴於後。茲請先言從洛陽東奔之路程。此段經過惜未得確知,是以於端己南遊事跡不能有所考見。但依地理系統以為推證,亦有裨於明

瞭當日徐淮軍事之情勢及詩中文句之校釋也。

（甲）從洛陽東奔之路程

詩云：

出門惟見亂梟鳴，更欲東奔何處所。仍聞汴路舟車絕，又道彭門自相殺。野色徒銷戰士魂，河津半是冤人血。適聞有客金陵至，見說江南風景異。

王國維氏校本（北京大學國學季刊第壹卷第肆期）云：汴路一作洛下。羅振玉氏校本（敦煌零拾。）汴路作汴洛。周雲青君秦婦吟箋注云：

汴洛謂河南開封至洛陽也。

寅恪案，元和郡縣圖志玖徐州條云：

按自隋氏鑿汴以來，彭城南控埇橋，（在宿縣北二十里，一名符離橋，亦名永濟橋，跨汴水。輿地記：「徐州南控埇橋，以扼汴路，故其鎮尤重。」唐於其地置鹽鐵院。建中二年，淄青帥李正己拒命，屯兵埇橋。元和四年，議者以埇橋當舟車之會，因置宿州以鎮之。）以扼汴路，故其鎮尤重。

同書同卷宿州條略云：

其地南臨汴河有埔橋，爲舳艫之會。

白氏長慶集肆肆杭州刺史謝上表云：

屬汴路未通，取襄漢路赴任。

據此，汴路乃當時習用之名詞，不可改為汴洛，亦不得釋為開封至洛陽明矣。

李文公集壹捌來南錄云：

元和三年十月翱既受嶺南尚書公之命。四年正月己丑自旌善弟（第）以妻子上船於漕。〔元和四年正月〕乙未去東都，韓退之石潩川假舟送予。明日及故洛東，弔孟東野，遂以東野行。潩川以妻疾自漕口先歸。黃昏，到景雲山居，詰朝，登上方，南望嵩山，題姓名記別。既食，韓孟別予西歸。戊戌，余病寒，飲蔥酒以解表。暮宿於鞏。庚子出洛下河，止汴梁口，遂泛汴流，通河於淮。辛丑及河陰，乙巳次汴州，疾又加，召醫察脉，使人入盧又。二月丁未朔，宿陳留。莊人自盧又來，宿雍丘。〔二月〕乙酉次宋州，疾漸瘳。壬子至永城。甲寅至埇口，丙辰次泗州，見刺史，假舟轉淮上河如揚州。庚申下汴渠入淮，風帆，及盱眙，天黑色，波水激，順潮入新浦。壬戌至楚州，丁卯至揚州，戊辰上栖靈浮圖。辛未濟大江至潤州。

又同書同卷題桄榔亭云：

翔與監察御史韋君詞皆自東京如嶺南,翔以〔元和四年〕正月十八日上舟於漕以行。韋君期以二月策馬疾驅,追我於汴宋之郊。或不能及,約自宣州會我於常州以偕行。

元和郡縣圖志玖徐州條云:

今爲徐泗節度使理所。
西至東都一千二百二里。
南取埇橋路至宣州五百里。

又同書貳伍潤州條云:

今爲浙西觀察使理所。
西北至東都一千八百一十里。
北渡江至揚州七十里。
正南微西至宣州四百里。

又同書貳捌宣州條云:

今爲宣歙觀察使理所。
西北至東都取和滁路二千一百五十里。
正北微東至潤州四百里。

宣城縣。（郭下。）

當塗縣。

牛渚山，在縣北三十五里，突出江中，謂之牛渚圻，津渡處也。採石戍，在縣西北三十五里，西接烏江，北連建業城，在牛渚山上，與和州橫江渡相對。

據此，知李翱南行自身由揚州渡江至潤州，而約韋詞由和州渡江至宣州，蓋二塗皆經埇橋，李吉甫白居易及秦婦吟所謂汴路，亦即端己弔侯補闕詩句注（浣花集肆）所謂汴宋路也。端己有道當塗縣五律一首（浣花集肆）。夏承燾君韋端己年譜（詞學季刊第壹卷第肆號）列之中和三年南遊作中，曲瀅生君韋莊年譜則疑此詩為光啟二年西遊所作。又謂此詩或有為初次東來時作之可能。然皆未詳言其故。鄙見此詩若果為端己中和三年春間之作，則是由汴路南行，復取和滁路渡江也。但此詩語意太泛，不易證明。故由何處渡江一點可不必多作揣測之論。至汴路則秦婦吟中雖言其艱阻，而端己之南投周寶，或仍由此路。蓋白樂天長慶二年赴杭州刺史任，所取之襄漢路迂迴太甚。又浣花集中未能確切發見其中和三年春襄漢之行踪也。姑存此疑，以俟考定。（浣花集叁新正日商南道中作寄李明府一首，夏君韋端己年譜列於中和二年。寅恪案，端己中和二年二月後始離長安，是年新正日何緣在商南道中？疑是中和三年之作。果爾，則端己於中和三年新正日經過商南，豈取襄漢路赴潤州耶？但詩語無明確之表示，故不敢遽斷

汴路之界説既已確定,彭門之地望因之可以推知,而野色之校改亦得佐證矣。翟理斯公子秦婦吟之考證與校釋(原文載通報第貳肆卷第肆第伍合期。茲所據者為燕京學報第壹卷第壹期張蔭麟君譯本)云:

四川彭縣有彭門山,詩中之彭門不知是指此否?

寅恪案,中和二年冬蜀中阡能之亂蔓延及於雙流新津,(見通鑑貳伍伍中和二年十一月阡能黨愈熾侵淫入蜀州條及崔致遠桂苑筆耕集壹賀處斬草賊阡能表等。)則彭門指彭州導江縣之天彭闕或天彭門,(見元和郡縣圖志叁壹彭州導江縣灌口山西嶺有天彭闕條。)似亦可能,但詩言東奔,而彭州在洛陽之西南,既與地望不合。詩又云:「自相殺」,復於措詞為失體。故知彭門非指天彭也。

考舊唐書壹捌貳時溥傳云:

時溥彭城人,徐之牙將。黃巢據長安,詔徵天下兵進討。中和二年(寅恪案,二年應作元年,岑氏校勘記失校。)武寧軍節度使支詳遣溥與副將陳璠率師五千赴難。行至河陰,軍亂,剽河陰縣迴。溥招合撫諭,其衆復集。懼罪,屯於境上。詳遣人迎犒,悉恕之。溥乃移軍向徐州。既入,軍人大呼,推溥為留後,送詳於大彭館。溥大出資裝,遣陳璠援詳歸

京。詳宿七里亭,其夜爲璠所殺,舉家屠害。竟以違命殺詳,溥誅璠。(參考舊唐書壹玖下僖宗紀廣明元年九月條,新唐書玖僖宗紀,中和元年八月條。壹捌捌時溥傳及通鑑貳伍肆中和元年八月條等。)

崔致遠桂苑筆耕集代高駢所作書牒,關於汴路區域徐州時溥泗州于濤之兵爭及運道阻塞之紀載甚多,俱兩唐書及通鑑等所未詳,實爲最佳史料。茲擇錄於下,亦足徵當日徐淮之間軍事交通之情勢也。

桂苑筆耕集捌致泗州于濤常侍別紙略云:

況屬彭門叛亂,仍當汴路艱難,獨守危城,終摧敵壘。

同書玖致泗州于濤尚書別紙略云:

蠢彼徐戎,聚茲餘燼,敢侵貴境,再逞姦謀。

同書壹壹告報諸道徵促綱運書略云:

既裝運舡,將扣飛檄,言遵汴道,徑指圃田,必值徐戎,來侵淮口,扼斷河路,攻圍郡城。時溥罔遵詔旨,尚搆奸謀。去年曾犯淮山,今夏又侵泗水。乃作黃巢外應,久妨諸道進軍。先須剗當道之豺狼,後〔方〕可殄壞堤之螻蟻。冀使隋皇新路,楊柳含春,漢祖舊鄉,荆榛撲地。

同書同卷答徐州時溥書略云：

忽睹來示云：泗州獨阻淮河，自牢城壘，使四方多阻，諸道莫通。其於淮河久阻，道路不通，皆因貴府出兵，不是泗濱爲梗。是非可辨，遠近所聆。去歲夏初，早蒙侵伐，呼蟻軍於漣水，拒虎旅於淮山。

同書同卷答襄陽郤將軍書略云：

中和二年七月四日具銜高某謹復書於將軍閣下：某自去年春知寇侵秦甸，帝幸蜀川，欲會兵於大梁，遂傳檄於外鎮，練成軍伍，選定行期，便被武寧（寅恪案，武寧軍節度使治徐州。）忽興戎役，先侵泗境，後犯淮壖。細察徐州所爲，是作黃巢外應。不然，則何以每見當軍臨發，即將兇黨奔衝，又乃執稱泗濱，阻絕汴路，且臨淮（寅恪案，臨淮郡即泗州。）則城孤氣寡，劣保疲羸。彭門則地險兵強，恐行狂悖。以茲斟酌，可見端倪。況無諸道綱舡曾過泗州本路。今則皆因此寇，却滯諸綱。近則浙東浙西，遠則容府廣府，並未聆饋運，何濟急難。

又吳融唐英歌詩上有七言律詩三首，其題爲：

彭門用兵後經汴路。

又新唐書伍捌藝文志史部雜史類載：

鄭樵彭門紀亂三卷,原注龐勛事。

據此,彭門相殺之語及彭門與汴路之關係,可得其確解矣。

又「野色徒銷戰士魂,河津半是冤人血。」二句造語既不晦澀,用意尤為深刻,信稱佳構。據舊唐書壹貳拾郭子儀傳略云:

子儀既謝恩上表,因自陳曰:〔臣〕東西十年,前後百戰。天寒劍折,濺血霑衣。野宿魂驚,飲冰傷骨。

則「野色徒銷戰士魂」句與郭表所云「野宿魂驚」之義相同,似可無須校改。然細繹上下文義,「野色」二字疑是「宿野」二字之譌倒,翟君謂「野色」丙本作「野宿」。據元和郡縣圖志玖河南道伍宿州條略云:

其地南臨汴河,有埇橋為舳艫之會。(前文已引)

又同書同卷泗州條略云:

秦為泗水郡地。漢興,改泗水為沛郡。武帝分置臨淮郡。後漢下邳太守理此。自晉迄後魏秦為宿豫縣。

宿遷縣。

春秋時宋人遷宿之地,晉立宿豫縣。寶應元年以犯代宗廟諱改為宿遷縣。

新唐書叁捌地理志云：

泗州臨淮郡上，本下邳郡，治宿預。開元二十三年徙治臨淮。

則是「河津」為汴河之津，「宿野」為宿州或宿遷即泗州之野，與泗州于濤之兵爭。此乃依地理系統及歷史事實以為推證，不得不然之結論。若有以説詩專主考據，以致佳詩盡成死句見責者，所不敢辭罪也。至「冤人」自當作冤死之人解，而周注謂「冤人」為黃巢同里冤句之人，則似可不必，蓋「冤人」與「戰士」為對文，冤字非地名也。金陵，周注引唐書地理志江南道昇州縣本江寧為釋。其實唐人亦稱節將治所潤州之丹徒為金陵，詩中之金陵即指潤州之丹徒言。李衛公別集壹鼓吹賦序云：

余往歲剖符金陵。

李德裕曾任浙西觀察使，而潤州之丹徒為浙西觀察使治所，故云剖符金陵。其餘例證，可參閲杜牧樊川詩集壹杜秋詩序，馮集梧注，及錢大昕廿二史考異壹柒下唐書方鎮表伍貞元三年分浙江東西為二道條等。兹不備舉。端己中和三年在上元賦詩頗多，（見浣花集肆，及夏承燾君韋端己年譜。）因恐讀者於此句中金陵之語有所誤會，特附辨正於此。

（乙）從長安至洛陽之路程

北夢瑣言陸以歌詞自娛條云：

> 蜀相韋莊應舉時，遇黃寇犯闕，著秦婦吟一篇。內一聯云「內庫燒爲錦繡灰，天街踏盡公卿骨。」爾後公卿亦多垂訝，莊乃諱之，時人號秦婦吟秀才。他日撰家戒，內不許垂秦婦吟障子，以此止謗，亦無及也。

寅恪案，此事最爲可疑，以今日敦煌寫本之多，（除翟君所舉五本外，王重民君近影得巴黎圖書館伯希和號叁柒捌拾及叁玖伍兩本，故寅恪間接直接所得見者，共有七本。德化李氏尚藏一本，已售於日人，未得見，不知與所見之七本異同如何。）當時必已盛傳，足徵葉光子「時人號爲秦婦吟秀才」之言爲不妄。且此詩爲端已平生諸作之冠，而其弟藹所編之浣花集竟不收入，則端已「撰家戒不許垂秦婦吟障子」之說尤屬可信。但端已晚年所以深諱言此詩，要必有故，若如孫氏所指詩中「內庫燒爲錦繡灰，天街踏盡公卿骨」三句爲其主因，則似不然。何以言之？據舊唐書壹捌貳高駢傳載中和二年僖宗責駢之詔，亦引駢表中「園陵開毀，宗廟焚燒」之語。是當時朝廷詔書尚不以此爲諱，更何有於民間樂府所言之錦繡成灰，公卿暴骨乎。即以詩人之篇什論，杜子美諸將之「早時金盌出人間」即高千里之「園陵開毀」、「洛陽宮殿化爲烽」，亦等於「宗

廟焚燒」。豈子美可言「園陵開毀，宗廟焚燒」於廣德大曆之時，而端己不得言錦繡成灰，公卿暴骨於廣明中和之世耶？端己生平心儀子美，至以草堂為居，浣花名集，豈得謂不識此義。即使此二句果有所甚忌諱，則刪去之可也。或逕改易之，如唐才子傳作「天街踏盡卻重回」即羅氏疑為端己避謗後所改者，亦無不可也。何至併其全篇而禁絕之者，可知其忌諱所在，有關全篇主要之結構，既不能刪去，復無從改易，實不僅繫於此二句已也。然則其竟以内庫公卿一聯為說者，乃不能顯言其故，遂作假託之詞耳。以是愈知其所諱之深，而用心之苦矣。

寅恪昔年曾與俞君論此，所疑殊不能釋。近日取兩唐書王重榮及楊復光傳，與秦婦吟所述從長安達洛陽之路程互證，並參以其他史籍，綜合推究，恍然若有所悟，於是假設一說，以求喜讀秦婦吟者之教正。

茲節錄有關史籍之文於下：

舊唐書壹玖下僖宗紀云：

〔中和〕二年二月（通鑑繫此事於元年四月，詳見考異。）涇原大將唐弘夫，大敗賊將林言於興平，俘斬萬計。王處存率軍二萬徑入京城，賊偽遁去。京師百姓迎處存，歡呼叫譟。是日軍士無部伍，分佔第宅，俘掠妓妾。賊自灞上分門復入，處存之衆蒼黃潰亂，爲賊所

敗。黃巢怒百姓歡迎處存，凡丁壯皆殺之，坊市爲之流血。自是諸軍退舍，賊鋒愈熾。

又同書壹捌貳王重榮傳云：

重榮知〔河中〕留後事，乃斬賊使，求援鄰藩。既而賊將朱溫舟師自同州至，黃鄴之兵自華陰至，數萬攻之。重榮戒勵士衆，大敗之，獲其兵仗，軍聲益振。朝廷遂授節鉞，檢校司空。時中和元年夏也。俄而忠武監軍楊復光，率陳蔡之師萬人與重榮合。賊將李祥守華州，重榮合勢攻之，擒祥以徇。俄而朱溫以同州降，賊既失同華，犄角破賊，狂躁益熾。黃巢自率精兵數萬至梁田坡。時重榮軍華陰南，楊復光在渭北，出其不意，大敗賊軍。

又同書壹捌肆宦官傳楊復光傳云：

時秦宗權叛〔周〕岌，據蔡州。復光得忠武之師三千入蔡州，說宗權，俾同義舉。宗權遣將王淑率衆萬人，從復光收荊襄。次鄧州，王淑逗留不進，復光斬之，併其軍。進攻南陽，賊將朱溫、何勤來逆戰，復光敗之，進收鄧州，獻捷行在，中和元年五月也。復光乘勝追賊至藍橋，丁母憂還。尋起復，受詔充天下兵馬都監，押諸軍入定關輔。王重榮爲東面招討使，復光以兵會之。

又同書貳佰下黃巢傳略云：

時京畿百姓皆砦於山谷,累年廢耕耘。賊坐空城,賦輸無入,穀食騰踴,米斗三十千。官軍皆執山砦百姓鬻於賊為食,人獲數十萬。〔中和〕二年王處存合忠武之師,敗賊將尚讓,官軍乘勝入京師,賊遁去。處存不為備,是夜復為賊寇襲,官軍不利。賊怒坊市百姓迎王師,乃下令洗城,丈夫丁壯殺戮殆盡,流血成渠。

新唐書壹捌柒王重榮傳云:

即拜檢校工部尚書,為節度使。會忠武監軍楊復光率陳蔡兵萬人屯武功,重榮與連和擊賊將李祥於華州,執以徇。賊使尚讓來攻,而朱溫將勁兵居前,敗重榮兵於西關門,於是出兵夏陽,掠河中漕米數十艘。重榮選兵三萬攻溫,溫懼,悉鑿舟沉於河,遂舉同州降。復光欲斬之,重榮曰:今招賊,一切釋罪。且溫武銳可用,殺之不祥。表為同華節度使。有詔即副河中行營招討,賜名全忠。〔黃〕巢喪二州,怒甚,自將精兵數萬壁梁田。重榮軍華陰,復光軍渭北,犄角攻之,賊大敗。

又同書貳佰柒拾柒宦者傳上楊復光傳云:

俄起為天下兵馬都監,總諸軍,與東面招討使王重榮并力定關中。

舊唐書壹玖下僖宗紀云:

中和元年九月,楊復光、王重榮以河西(中?)昭義忠武義成之師屯武功。

通鑑貳伍肆云：

中和元年〔九月〕辛酉，忠武監軍楊復光屯武功。

北夢瑣言玖李氏女條云：

唐廣明中黃巢犯闕，大駕幸蜀，衣冠蕩析，寇盜縱橫。有西班李將軍女，奔波隨人，迤邐達興元。骨肉分散，無所依託。適值鳳翔秦將軍董司馬者，乃晦其門閥，以身託之，而性甚明敏，善於承奉，得至於蜀。尋訪親眷，知在行朝，始謂董生曰：喪亂之中，女弱不能自濟，幸蒙提挈，以至於此。失身之事，非不幸也。人各有偶，難爲偕老，請自此辭。董生驚愕，遂下其山矣。識者謂女子之智亦足稱也。見劉山甫撰金溪閒談拾貳卷，即見北夢瑣言。）

寅恪案，秦婦吟中述一婦人從長安東奔往洛陽，其行程即端己所親歷也。依秦婦吟所述，此婦之出長安，約在中和二年二月所謂「黃巢洗〔長安〕城」之後。蓋長安經此役後，凡非巢黨，殊難苟存。端己之出長安，亦當在此相距不久之時。但即在此前或此後，大多數之避難者，其從長安東奔之路線，應亦與詩中所言者不殊。此觀於平時交通之情況，可以推知者也。北夢瑣言李氏女條所紀，亦當日避難婦女普遍遭遇，匪獨限於李氏女一人也。由是言之，秦婦吟之秦婦，無論其是否為端己本身之假託，抑或實有其人，所經行之路線，則非有二，金溪閒談之李

女,即使其非從長安西奔達成都,(若由此路,則唐人謂之南奔也。)而從長安東奔達洛陽,但由此路線避難之婦女,所遭遇之情勢,亦應有與金溪閒談所述者,略相近似。據舊唐書楊復光傳,王重榮為東面招討使,復光以兵會之。又據兩唐書王重榮傳,及重榮軍華陰復光軍渭北,犄角敗賊。是從長安東出奔於洛陽者,如秦婦吟之秦婦合攻李祥於華州,及重榮軍陰復光軍渭北,其路線自須經近楊軍防地。復依舊唐書僖宗紀新唐書王重榮傳及通鑑中和元年(九月)之紀事,復光屯軍武功,則從長安西出奔於成都者,如金溪閒談之李氏女,其路線亦須經近楊軍防地,而楊軍之八都大將之中,前蜀創業垂統之君,端己北面親事之主(王建)即是其一。其餘若晉暉李師泰之徒,皆前日楊軍八都之舊將,後來王蜀開國之元勳也。當時復光屯軍武功,或會兵華渭之日,疑不能不有如秦婦避難之人,及李女委身之事。端己之詩,流行一世,本寫故國亂離之慘狀,適觸新朝宮闈之隱情。所以諱莫如深,志希免禍,以生平之傑構,古今之至文,而竟垂戒子孫,禁其傳佈者,其故儻在斯歟?儻在斯歟?

(丙)詩句校釋

其關於詩中文句之校釋,尚有須略綴數語,申述鄙見者,列舉如下。至其他校釋,已見諸校本而可信從,或無關重要者,皆不贅述。

詩云：

翻持象笏作三公，倒佩金魚為兩史。

周注云：

兩史為柏臺(御史大夫)蘭省(御史中丞)也。

寅恪案，通典貳壹職官典叁宰相門中書令條略云：

隋初改中書為內史，置監令各一人，尋廢監置令二人。大唐武德初為內史令。三年改為中書令，亦置二人。龍朔二年改為右相。

據此，兩史與三公為對文，自指宰相而言。若御史中丞則官階僅正四品下，職位太卑，非端己詩意也。

詩云：

昨日官軍收赤水，赤水去城一百里。

寅恪案，水經注壹玖渭水篇云：

逕望仙宮東，又北與赤水會。

據此，並參考楊守敬水經注地圖第肆冊南伍卷南伍西伍上，準諸地望，此二句與舊唐書僖宗紀所紀：

〔中和〕二年二月,涇原大將唐弘夫大敗賊將林言於興平,俘斬萬計。

之事適合。

詩云:

> 逡巡走馬傳聲急,又道官軍全陣入。大彭小彭相顧憂,二郎四郎抱鞍泣。

寅恪案,安友盛本作「官軍」,似較他本之作「軍前」者為佳。下文云「又道官軍悉敗績」可證也。

又王氏校本云:

> 「彭」倫敦殘本作「臺」,巴黎圖書館伯希和號叁柒捌拾作「大鼓」。

寅恪案,「臺」及「鼓」皆是「彭」之形譌,自不可據以校改。但「大彭小彭」語不易解,周注云:

> 「大彭小彭」謂黃巢部下之將時溥及秦彥。

蓋據舊唐書時溥秦彥傳,二人皆彭城人也。又云:

> 「二郎四郎」即謂黃巢及弟揆。

寅恪案,舊唐書壹捌貳時溥傳,前於論從洛陽東奔路程一節中已詳引,茲不復錄,僅就秦彥傳取與時溥傳並觀,以見周說之難通。舊唐書壹捌貳高駢傳附秦彥傳略云:

> 秦彥者,徐州人。聚徒百人,殺下邳令取其資裝入黃巢軍。巢兵敗於淮南,乃與許勍俱降

舉兩唐書黃巢傳為證。

高駢，累奏授和州刺史。中和二年宣歙觀察使竇潏病，彥以兵襲取之，遂代潏為觀察使，朝廷因而命之。

據此，時溥雖高駢謂其為黃巢外應，（見前引桂苑筆耕集壹壹，告報諸道徵促綱運書及答襄陽郄將軍書。）是否誣誣之詞，猶待考實。但其始終未作黃巢部下之將，則事跡甚明。秦彥雖一度入黃巢軍，中和二月以前，早已降於高駢，奏授和州刺史。故以時地考之，中和二年二月時溥在徐州，秦彥在和州或宣州，（秦彥襲取宣州事，通鑑繫於中和二年之末，蓋難定其日月也。）二人既均不在長安，又俱非黃巢部將，何得在圍城之中，聞官軍將入而相顧以憂乎。故知「大彭小彭」必不謂秦彥時溥。「二郎四郎」疑與「大彭小彭」同是泛稱，非實指黃巢黃揆也。

蘇鶚蘇氏演義上云：

俗呼奴為邦，今人以奴為家人也。凡邦家二字多相連而用。時人欲諱家人之名，但呼為邦而已，蓋取用於下字者也。又云：僕者皆奴僕也，但論語云：邦君樹塞門。樹猶屏也。不言君但言邦，此皆委曲避就之意也。今人奴拜多不全其禮，邦字從半拜，因以此呼之。

（此文疑有脫誤，俟求善本校之。）

李匡乂資暇集下奴為邦條云：

呼奴為邦者，蓋舊謂僮僕之未冠者曰豎。人不能直言其奴，因號奴為豎。高歡東魏用事

時，相府法曹卒（寅恪案，卒當作辛，見北齊書貳肆北史伍伍杜弼傳。）子炎（？）誤犯歡奴杖之。歡諱樹而威權傾於鄴下，當是郡（羣？）寮以豎同音，因目奴為邦，義取邦君樹塞門，以句內有樹字，假豎為樹，故歇後為言，今兼刪去君字呼之。一說邦字類拜字，非唯郎主，是實則拜。（此文疑有脫誤，俟求善本校之。）

寅恪案，蘇氏諱家人為邦，李氏避高歡父樹生諱之說，雖未必可從，但德祥居武功之杜陽川（見晁公武郡齋讀書志叁下。）濟翁亦唐末人，與端己所處時代近同，且德祥為光啟中進士，（亦見晁志），濟翁所述，又顯為山東之俗，則當時呼奴為邦，東西皆然。夫俗語之用，原無定字，彭邦二音相近，故書為邦者，宜亦得書為彭。是韋詩中之俗語，似可以蘇李書中所記當時之音義釋之，然則「大彭小彭」者，殆與大奴小奴同其義也。

又舊唐書玖陸宋璟傳云：

當時（武則天時）朝列皆以二張內寵不名官，呼易之為五郎，昌宗為六郎，天官侍郎鄭善果（據通鑑考異壹長安三年九月鄭杲謂宋璟奈何卿五郎條應作鄭杲。）謂璟曰：中丞奈何呼五郎為卿？璟曰：以官言之，正當為卿。若以親故，當為張五。足下非易之家奴，何郎之有？鄭善果一何懦哉？

通鑑貳佰柒拾唐紀則天后紀長安三年九月鄭杲謂宋璟奈何卿五郎條胡注云：

門生家奴呼其主為郎，今俗猶謂之郎主。

蓋奴呼主為郎，主呼奴為邦，或彭。故端己以此二者對列，極為工整自然。可知此二句詩意，只謂主人及奴僕，即舉家上下全體憂泣而已，非有所實指也。

詩云：

四面從茲多厄束，一斛黃金一升粟。尚讓厨中食木皮，黃巢机上刲人肉。

升粟，羅氏校本作斗粟，王氏及翟君校本作升粟。巴黎圖書館伯希和號叁柒捌拾及叁玖伍叁俱作勝粟，周君箋注本從羅校作斗粟。

寅恪案，作斗粟或升粟雖亦可通，作升粟者疑是端己之原文。考唐人以錢帛估計米粟之價值時，概以斗言。故斗粟或斗米值若干，乃當時習用之成語。茲列舉例證，如舊唐書柒肆馬周傳，唐會要捌叁租稅上皆載貞觀十一年周上疏云：

貞觀之初，率土荒儉，一匹絹纔得一斗米，而天下帖然。

舊唐書捌玄宗紀上云：

〔開元十三年〕十二月己巳，至東都，時累歲豐稔，東都米斗十錢，青齊米斗五錢。

又同書壹壹代宗紀云：

永泰元年三月庚子，夜降霜，木有冰，歲饑，米斗千錢，諸穀皆貴。秋七月庚子，雨。時

又同書壹肆魯炅傳云：

〔南陽郡〕城中食盡，煮牛皮筋角而食之，米斗至四五十千。

又同書壹叁劉晏傳云：

時新承兵戈之後，中外艱食，京師米價斗至一千。

又同書壹捌貳高駢傳云：

既而蔡賊楊行密自壽州率兵三萬乘虛攻〔揚州〕城，城中米斗五十千。

又同書貳佰上安祿山附慶緒傳云：

〔相州〕城中人相食，米斗錢七萬餘。

又同書貳佰下黃巢傳（前文已引。又通鑑貳伍肆中和二年條亦略同。）云：

穀食騰踊，米斗三十千。

新唐書伍壹食貨志略云：

貞觀初，戶不及三百萬，絹一匹易米一斗，至四年米斗四五錢。及兩京平，又於關輔諸州納錢度道士僧尼萬人，而百姓殘於兵盜，米斗至錢七千。

又同書伍叁食貨志云：

貞元初關輔宿兵，米斗千錢。

又同書玖柒魏徵傳云：

於是帝（太宗）即位四年，歲斷死二十九，幾至刑措，米斗三錢。

又同書壹肆柒魯炅傳云：

〔南陽郡〕城中食盡，米斗五十千。

又同書壹肆玖劉晏傳云：

時大兵後，京師米斗千錢。

又同書貳貳伍上安祿山傳附慶緒傳云：

決安陽水灌〔相州〕城，城中棧而處，糧盡易子以食，米斗錢七萬餘。

陸宣公諫苑集奏議貳，請減京東水運收脚價於緣邊州鎮蓄儲軍糧狀略云：

故承前有用一斗錢運一斗米之言，至使流俗過言，有用一斗錢運一斗米之說。

又同集奏議叁，請依京兆所請折納事狀云：

度支續奏，稱據時估豌豆每斗七十價已上，大豆每斗三十價已下。

王楳野客叢書捌云：

嵇叔夜養生論曰：「夫田種者一畝十斛，謂之良田，此天下之通稱也。」不知區種可百餘

斛，安有一斛收百斛之理？前漢書食貨志曰：「治田勤則畝益三升，不勤損亦如之。」二畝而損益三升，又何其寡也。僕嘗以二說而折之理，俱有一字之失。稔之所謂斛，漢之所謂升，皆斗字耳。蓋漢之隸文書斗為㪷，字文絕似升字。漢史書斗字為㪷字，字文又近於斛字，恐皆傳寫之誤。

又劉復君敦煌掇瑣中輯陸陸，天寶四載豆盧軍和糴帳所載之斗估，以未見原寫本，不敢臆斷。後承賀昌羣君告以古人所書斗升二字，差別至微，故易於誤認，並舉其近日讀漢簡之經驗為例。寅恪復證以劉書之幸而未誤之一字，即第貳陸壹頁叄行之斗字，係依原寫之形，尚未改易者，遂豁然通解。然則端己此詩以致計算幾全不合。寅恪初頗致疑，以未見原寫本，不敢臆斷。後承賀昌羣君告以古人所書斗升二字，差別至微，故易於誤認，並舉其近日讀漢簡之經驗為例。寅恪復證以劉書之幸而未誤之一字，即第貳陸壹頁叄行之斗字，係依原寫之形，尚未改易者，遂豁然通解。然則端己此詩若依羅氏校本作一斗黃金一斗粟，除二處外，餘悉誤作升估，故甚其詞，特意形容之筆，此一字頗關重要，因恐讀者等閒放過，遂詳引史籍以闡明之。又以敦煌寫本之故，聯類牽及校正敦煌掇瑣之誤，猶是唐人常語，不足為奇。今作一斗黃金一升粟，則是端己此詩復次，唐人寫本之多作斗升二字形近易誤之故。今巴黎圖書館伯希和號叄柒捌拾及叄玖伍叄俱作勝粟，尤足證端己詩本作升粟，而非斗粟也。至其他舊籍中升斗二字之誤者，尚可多舉例證，以其關係較遠，且前所舉諸例已足證明，故不復詳具焉。

又道藏洞玄部記傳類（第叄貳柒冊恭上）杜光庭錄異記叄忠（此條承周一良先生舉以見告者。）略

云：

僖宗幸蜀，黃巢陷長安，南北臣僚奔問者相繼。無何，執金吾張直方與宰臣劉鄴于惊諸朝士等，潛議奔行朝，爲羣盜所覺，誅戮者至多。自是阨束，內外阻絕。京師積糧尚多，巧工劉萬餘〔等〕竊相謂曰：「大寇所向無敵，京師糧貯甚多，雖諸道不賓，外物不入，而支持之力，數年未盡。吾黨受國恩深，志効忠赤，而飛竄無門，皆爲逆黨所使。吾將貢策，請竭其糧。外貨不至，內食既盡，不一二年，可自敗亡矣。」萬餘，黃巢憐其巧性，常侍直左右。因從容言曰：「長安苑囿城隍，不啻百里。若外兵來逼，須有禦備。不爾，固守爲難。請自望仙門以北，周玄武白虎諸門，博築城池，置樓櫓却敵，爲禦捍之備，有持久之安也。」黃巢喜，且賞其忠節。即日使兩街選召丁夫各十萬人築城。人支米二升，錢四十文。日計左右軍支米四千石，錢八千貫。歲餘功不輟，而城未周，以至於出太倉穀以支夫食，然後剝榆皮而充御廚。城竟不就。萬餘懼賊覺其機，出投河陽，經年病卒。

寅恪案，杜記韋詩所言多足參證，而「阨束」及「剝榆皮而充御廚」等語，尤可注意。豈以時地相同，廣成浣花兩作品之間，亦有關係耶？

詩云：

六軍門外倚僵尸，七架營中填餓殍。

翟君云，乙本架作策，其他校本皆作架。巴黎圖書館伯希和號叁柒捌拾作買，旁注架。

翟君又云：

> 七架營之地址不可考，惟長安志卷六有七架亭，在禁苑中，去宮城十三里，在長安故城之東，未知即其地否。

寅恪案，穆天子傳壹云：

> 天子乃樂□賜七萃之士戰。

郭注云：

> 萃，集也，亦猶傳有輿大夫，皆聚集有智力者，爲王之爪牙也。

故七萃即禁軍之義，唐人文中頗習用之。如白氏長慶集叁陸駙馬都尉鄭何除右衛將軍制云，「周設七萃」，同集叁柒除戶部尚書王泌充靈鹽節度使制云，「且司七萃」，李衛公會昌一品集別集陸，扶風馬公(存亮)神道碑銘云，「取材能於七萃」等，皆是其例，不待多舉。然則策字架字俱爲萃字之形誤，而買字又係架音之譌轉也。蓋六軍門外，七萃營中，皆相對爲文，若作七架營，則不可解矣。

詩云：

> 路旁試問金天神，金天無語愁於人。

翟君謂丁本金天神下有注云，華嶽三郎。

寅恪案，周注引西嶽華山志，黃仲琴君引逸史金天王葉仙師事（中山大學文史月刊第壹卷第伍期秦婦吟補注），皆是也。但均未徵引最初出典，茲特迻錄唐大詔令集柒肆典禮類嶽瀆山川門先天二年八月二日封華嶽神爲金天王制，以資參考。制云：

門下惟岳有五，太華其一。表峻皇居，合靈興運。朕惟恭膺大寶，肇業神京，至誠所祈，神契潛感。頃者亂常悖道，有甲兵而竊發。仗順誅逆，猶風雨之從助。永言幽贊，寧忘仰止。厥功茂矣，報德斯存。宜封華岳神爲金天王。仍令龍景觀道士鴻臚卿員外置越國公葉法善，備禮告祭，主者施行。

詩云：

旋教魘鬼傍鄉村，誅剝生靈過朝夕。

寅恪案，安友盛寫本作魘。其有作魔者非是。何以言之，據北夢瑣言壹壹關三郎入關條云：

唐咸通亂離後，坊巷訛言關三郎鬼兵入城，家家恐悚。罹其患者，令人寒熱戰慄，亦無大苦。〔弘〕農楊玼孳家自駱谷路入洋源，行及秦嶺，回望京師，乃曰，此處應免關三郎相隨也。語未終，一時股慄。斯又何哉。夫喪亂之間，陰厲旁作，心既疑矣，邪亦隨之，關妖之說正謂是也。愚幼年曾省故里，傳有一夷，迷（據端己詩「天遣時災非自由」語，「迷」字

疑當作「遣」)鬼魘人,閭巷夜聚以避之,凡有窗隙悉皆塗塞。其鬼忽來即撲人驚魘。須臾而止。

則知端己所謂「旋教魘鬼傍鄉村」即瑣言所謂「陰厲旁作」及「傳有一夷,遣鬼魘人」也。

又王劉修業夫人秦婦吟校勘續記(學原第壹卷第柒期)謂丁巳兩本「金天神」下注「華岳三郎」四字,而端己詩「天〈天〉即金天神之「天」遣時災非自由」及「旋教魘鬼傍鄉村」與瑣言所記者適合,是華岳三郎與關三郎實非有二,明矣。至華岳三郎亦可稱關三郎之故,豈亦潼關距華岳不遠,三郎遂亦得以關為號耶?俟考。

金天神一節之本旨,在述當時「時災」即時疫流行之事,其責望山東藩鎮之殘民肥己不急國難如高駢者,尚為附帶之筆。至以此節乃指斥僖宗為言者,鄙意不然。蓋以避黃巢之士人如端己,獻詩為質於忠於唐室之大臣如周寶,豈有作斯無君之語,轉自絕其進謁之路者乎?此説甚乖事理,必非端己詩旨,不待詳辨也。

詩云:

前年又出楊震關,舉頭雲際見荆山。如從地府到人間,頓覺時清天地閒。實為端己痛定思痛之語,其感慨深矣。端己寅恪案,此言脱出黃巢勢力範圍,轉入別一天地。取道出關,途中望見荆山,遂述及荆山所在地之陝虢主帥能保境安民,此亦聯想措詞之妙也。

據漢書陸武帝紀云：

〔元鼎〕三年冬徙函谷關於新安。（應劭曰，時樓船將軍楊僕數有大功，恥為關外民。上書乞徙東關，以家財給其用度。武帝意亦好廣闊。於是徙關於新安，去弘農三百里。）

又據水經注壹伍洛水篇云：

洛水自枝瀆又東出關，惠水右注之。世謂之八關水。戴延之西征記謂之八關澤，即經所謂散關郛，自南山橫洛水，北屬於河，皆關塞也，即楊僕家僮所築矣。

及同書壹陸穀水篇云：

穀水又東逕函谷關南，東北流，阜澗水注之。水出新安縣東，南流逕毋丘興墓東，又南逕函谷關西，關高險陜，路出塵郛。漢元鼎三年樓船將軍楊僕數有大功，恥居關外，請以家僮七百人築塞，徙關於新安，即此處也。

又元和郡縣圖志伍河南府新安縣條略云：

本漢舊縣，屬弘農郡。函谷故關在縣東一里，漢武帝元鼎三年為楊僕徙關於新安。今縣城之東有南北塞垣，楊僕所築。

及同書陸虢州湖城縣條云：

荆山在縣南，即黃帝鑄鼎之處。

然則楊僕關正在新安之地，與下文「明朝又過新安東」之句行程地望皆相符合。頗疑「楊震關」乃「楊僕關」之譌寫，殆由傳寫者習聞東京之「關西夫子楊伯起」（見後漢書捌肆楊震傳。）而不知有西京之樓船將軍，遂以致誤耶？

詩云：

明朝又過新安東，路上乞漿逢一翁。

又云：

鄉園本貫東畿縣，歲歲耕桑臨近旬。歲種良田二百廛，年輸戶稅三千萬。小姑慣織褐紬袍，中婦能炊紅黍飯。

寅恪案，元和郡縣圖志伍河南道壹河南府條云：

新安縣畿

據此，新安縣為隸屬東都河南府之畿縣。此老翁既遇於新安以東之路上，自是新安縣或河南籍，故曰「鄉園本貫東畿縣」也。周注引唐書方鎮表至德元載置東畿觀察使，領懷、鄭、汝、陝四州，未諦。「年輸戶稅三千萬」句，翟君謂「羅校易千為十，似是」。

寅恪案，羅氏意三千萬為數太多，故易以三十萬，不知詩尚有

明朝曉至三峯路，百萬人家無一戶。」之句，其實三峯之下，豈有百萬戶乎，詞人之數字，僅代表數量衆多而已，不必過於拘泥也。所可注意者，良田二百廛，及戶稅三千萬一聯，正指唐代地戶兩稅。據唐會要捌叁租稅上略云：

大曆四年正月十八日敕，天下及王公已下，自今已後，宜准度支長行旨條，每年稅錢上上戶四千文，下下戶五百文。

則廣明以後，當更有增益，而周注引通典武德元年詔上戶丁稅年輸十文之語，謂：原本作三千萬，數過多，羅校易千爲十，似是。戶稅三十萬則有三萬戶。

據通典陸賦稅下大唐條云：

蕃人（冊府元龜作蕃胡乃原文未經改易者。）內附者，上戶丁稅錢十文，次戶五文，下戶免之。

然則通典此節乃專指蕃胡內附者而言，不可以概括當時一般稅率。況廣明以後，一般稅率當更較大曆時增多，豈可以武德時內附蕃胡之稅率以計算廣明一般平民之戶數乎？丁、戌兩本作「褐絶袍」，他本作「褐絕袍」，羅王校本皆易「絶」爲「絕」。

據敦煌掇瑣中輯陸陸，載天寶四載和糴准旨支二萬段出武咸（威）郡帳寅恪案，作「絕」是也。

內,有伍佰伍拾匹河南府紽。此翁本貫河南府新安縣,則「絕」之校改作「絕」,信有明徵矣。又近人秦婦吟之解釋,及韋氏年譜之編纂,鄙見尚有不敢苟同者。以其無關本篇主旨,故不一一致辨,特拈端已所以諱言秦婦吟之公案,以待治唐五代文學史者之參究。

(陳寅恪先生關於秦婦吟一詩的校箋,先後發表過數次:讀秦婦吟,清華學報第拾壹卷肆期;秦婦吟校箋,一九四〇年昆明刊本,係據前文增訂改名;秦婦吟校箋舊稿補正,一九五〇年嶺南學報拾卷貳期;韋莊秦婦吟校箋,一九八〇年上海古籍版寒柳堂集收錄,續有補正。)

狐臭與胡臭

中古華夏民族曾雜有一部分之西胡血統，近世學人考證之者，頗亦翔實矣。寅恪則疑吾國中古醫書中有所謂胡氣之病，即狐臭者，其得名之由，或與此端有關，但平生於生理醫藥之學絕無通解，故不敢妄說，僅就吾國古來腋氣之異稱，及舊籍所載有腋氣之人，其家世種族兩點，略舉事例，聊供談助而已，尚希讀者勿因此誤會以為有所考定。幸甚幸甚！

隋巢元方諸病源候總論伍捌小兒雜病諸候陸狐臭條云：

人有血氣不和，腋下有如野狐之氣，謂之狐臭，而此氣能染，易著於人。小兒多是乳養之人先有此病，染著小兒。

寅恪案，腋氣今仍稱狐臭，如報紙藥品廣告及世俗語言中猶常見之。其得名之由，依巢氏之言，以為「有如野狐之氣」，義自可通。但今日國人嘗遊歐美者，咸知彼土之人當盛年時，大抵有腋氣，必非血氣不和。其與染著無涉，更不待言也。

唐孫真人思邈千金要方柒肆之玖胡臭漏腋第五論曰：

有天生胡臭者，為人所染胡臭者。天生臭者難治，為人所染者易治。

寅恪案，南宋楊士瀛仁齋直指有腋下胡氣之目，李時珍本草綱目壹金石類綠礬條附方中亦引之。「胡臭」之「胡」，自是胡人之「胡」，蓋古代「胡」「狐」二字雖可通用，但在千金方仁齋直指本草綱目編著之時，既不可認「胡」為「狐」之同音假借，而諸書俱作「胡」，不作「狐」，亦不得謂以音近之故，傳寫致譌。然則腋氣實有「狐臭」及「胡臭」不同之二名可知也。惟二名孰較原始與正確，頗不易決。考唐崔令欽教坊記云：

范漢女大娘子亦是竿木家，開元二十一年出內，有姿媚，而微慍羝。

文下原注云：

謂腋氣也。

寅恪案，范漢女大娘子其先代之男女血統，無從得知，但竿木之伎本附屬於唐代立部伎之雜戲及柘枝舞者，而此種伎舞乃中央亞細亞輸入我國藝術之一，其伎舞之人，初本西胡族類，又多世擅其業者也。（詳舊唐書貳玖音樂志貳，史浩鄮峯真隱漫錄肆伍柘枝舞大曲附柘枝舞小考等，茲不贅述。）據此，則范漢女大娘子之血統，殊有西胡人種混雜之可能。其「微慍羝」者，或亦先世西胡血統遺傳所致耶？五代何光遠鑑誡錄肆斥亂常條云：

賓貢李珣，字德潤，本蜀中土生波斯也。少小苦心，屢稱賓貢。所吟詩句往往動人。尹校

狐臭與胡臭

北宋黃休復茅亭客話貳李四郎條云：

李四郎名玹，字廷儀。其先波斯國人，隨僖宗入蜀，授率府率。兄珣有詩名，預賓貢焉。玹舉止溫雅，頗有節行，以鬻香藥為業，善弈棋，好攝養，以金丹延駐為務。暮年以爐鼎之費，家無餘財，唯道書藥囊而已。

寅恪案，何黃兩書皆謂珣出自波斯，且其兄玹又以鬻香藥為業。故珣為西胡血統，絕無可疑。至珣本身是否實有腋氣，抑尹鶚僅假「胡臭」之名以為譏笑，誠難確定。但鑑誠錄之作「胡臭」，足與千金方仁齋直指本草綱目等書互相印證，而李珣本人則因此條記載之故，亦發生體有腋氣之嫌疑也。總之，范漢女大娘子雖本身實有腋氣，而其血統則僅能作出於西胡之推測。李珣雖血統確是西胡，而本身則僅有腋氣之嫌疑。證據之不充足如此，而欲依之以求結論，其不可能，自不待言。但我國中古舊籍，明載某人體有腋氣，而其先世男女血統又可考知者，恐不易多得。即以前述之二人而論，則不得謂腋氣與西胡無關。疑此腋氣本由西胡種人得名，追西胡人種與華夏民族血統混淆既久之後，即在華人之中亦間有此臭者，儻仍以胡為名，自宜有人疑為不合。因其復似野狐之氣，遂改「胡」為「狐」矣。若所推測者不謬，則「胡臭」一名較之「狐

臭」，實為原始，而且正確歟？又孫思邈生於隋代，與巢元方為先後同時之人，故不可據巢書作「狐臭」而孫書作「胡臭」，遽謂「狐臭」之稱尚先於「胡臭」也。世之考論我國中古時代西胡人種者，止以高鼻深目多鬚為特徵，未嘗一及腋氣，故略舉事例，兼述所疑如此。

（原載一九三七年六月清華大學文學會編語言與文學）

徐高阮重刊洛陽伽藍記序

寅恪昔年嘗與徐君高阮論六朝人合本子注之書，因舉洛陽伽藍記為例證。徐君謂酈說不謬，遂校定楊記。近得來書云，將刊行之，以質諸世之通識君子，並徵序言。寅恪請更推論，以復徐君，不知徐君於意云何？裴世期受詔采三國異同，以注陳志。其自言著述之旨，以為注記紛錯，每多舛互。凡承祚所不載，而事宜存錄者，則罔不畢取，以補其闕。又同說一事，而辭有乖雜，或出事本異，而疑不能判者，則並皆抄內，以備異聞。據此言之，裴氏三國志注實一廣義之合本子注也。劉孝標世說新語注，經後人刪略，非復原本。幸日本猶存殘卷，得藉以窺見劉注之舊，知其書亦廣義之合本子注也。酈善長之注水經，其體製蓋同裴劉，而此書傳世，久無善本。雖清儒校勘至勤，蔚成顯學，惜合本子注之義，迄未能闡發。然則徐君是本之出，不獨能恢復楊記之舊觀，兼可推明古人治學之方法。他日讀裴劉酈三家之書者，寅恪知其必取之以相參證無疑也。

一千九百四十八年歲次戊子三月十五日陳寅恪書於北平清華園

（原載一九四八年中央研究院歷史語言研究所專刊之四十二重刊洛陽伽藍記書首）

朱延豐突厥通考序

朱君延豐前肄業清華大學研究院時，成一論文，題曰突厥通考。寅恪語朱君曰，此文資料疑尚未備，論斷或猶可商，請俟十年增改之後，出以與世相見，則如率精銳之卒，摧陷敵陣，可無敵於中原矣。蓋當日欲痛矯時俗輕易刊書之弊，雖或過慎，亦有所不顧也。朱君不以鄙見為不然，遂藏之篋中，隨時修正。迄於今日，忽已十年。值南海戰起，寅恪歸自香港，寄居雁山朱君從三台東北大學以書來告曰，前所為突厥通考已詳悉補正，將刊佈於世，願得一言以為序引。寅恪平生治學，不甘逐隊隨人，而為牛後。年來自審所知，實限於禹域以內，故僅守老氏損之又損之義，捐棄故技。凡塞表殊族之史事，不復敢上下議論於其間。轉思處身局外，如楚得臣所謂馮軾而觀士戲者。是今日之不欲更置詞於是書之篇首而侈言得失，亦已明矣。雖然，曩以家世因緣，獲聞光緒京朝勝流之緒論。其時學術風氣，治經頗尚公羊春秋，乙部之學，則喜談西北史地。後來今文公羊之學，遞演為改制疑古，流風所被，與近四十年間變幻之政治，浪漫之文學，殊有連繫。此稍習國聞之士所能知者也。西北史地以較為樸學之故，似不及今文

一六二

經學流被之深廣。惟默察當今大勢，吾國將來必循漢唐之軌轍，傾其全力經營西北，則可以無疑。考自古世局之轉移，往往起於前人一時學術趨向之細微。迨至後來，遂若驚雷破柱，怒濤振海之不可禦過。然則朱君是書乃此日世局潮流中應有之作。從事補正，既歷十年之久，宜其不可更遲。不可更遲刊行，以與世相見，而寅恪今雖如退院老僧，已不躬預擊鼓撞鐘，高唱伽陀之盛集，但以嘗與朱君初治西北民族史之時，一相關涉，終亦不得不勉徇其請，為置一詞，以述是書遲延刊佈之所由也。龔自珍詩云，但開風氣不為師。寅恪之於西北史地之學，適同瑟人之所志，因舉其句，為朱君誦之。兼藉以告並世友朋之欲知近日鄙狀者。

一九四二年歲次壬午十二月三日陳寅恪書於桂林雁山別墅

（原載一九四三年一月讀書通訊第伍捌期）

俞曲園先生病中囈語跋

曲園先生病中囈語不載集中，近頗傳於世。或疑以為偽，或驚以為奇。疑以為偽者固非，驚以為奇者亦未為得也。天下之致蹟者莫過於人事，疑若不可以前知。然人事有初中後三際（借用摩尼教語），猶物狀有線面體諸形。其演嬗先後之間，即不為確定之因果，亦必生相互之關係。故以觀空者而觀時，天下人事之變，遂無一不為當然而非偶然。既為當然，則因有可以前知而不可移易。此詩之作，在舊朝德宗皇帝庚子辛丑之歲，蓋今日神州之世局，三十年前已成定而不可移易。當時中智之士莫不惴惴然睹大禍之將屆，況先生為一代儒林宗碩，湛思而通識之人，值其氣機觸會，探演微隱以示來者，宜所言多中，復何奇之有焉！

嘗與平伯言：「吾徒今日處身於不夷不惠之間，託命於非驢非馬之國，其所遭遇，在此詩第貳第陸首之間，至第柒首所言，則邈不可期，未能留命以相待，亦姑誦之玩之，譬諸遙望海上神山，雖不可即，但知來日尚有此一境者，未始不可以少紆憂生之念。然而其用心苦矣。」

鍾離意別傳（見後漢書列傳叁壹鍾離意傳章懷注所引）略云：「意為魯相，〔發〕孔子教授堂下牀

首所懸甕中素書,文曰,後世修吾書董仲舒。」所言記莂名字,失之太鑿,不必可信。而此詩末首曰:「略將數語示兒曹。」然則今日平伯之錄之詮之者,似亦為當時所預知。此殆所謂人事之當然而非偶然者歟?戊辰三月義甯陳寅恪敬識。

(原載清華週刊第叁柒卷第貳期五二九號,一九三二年三月五日版)

讀吳其昌撰梁啟超傳書後

任公先生歿將二十年，其弟子吳子馨君其昌，始撰此傳。其書未成，僅至戊戌政變，而子馨嘔血死。傷哉！任公先生高文博學，近世所罕見。然論者每惜其與中國五十年腐惡之政治不能絕緣，以為先生之不幸。是說也，余竊疑之。嘗讀元明舊史，慕伊尹天民先覺之任，其不能與當時人家國事。況先生少為儒家之學，本董生國身通一之旨，勢不得不然。憶洪憲稱帝之日，余適旅居舊都，其時頌美袁氏功德者，極醜怪之奇觀。深感廉恥道盡，至為痛心。至如國體之為君主抑或民主，則尚為其次者。迨先生「異哉所謂國體問題者」一文出，摧陷廓清，如撥雲霧而覩青天。然則先生不能與近世政治絕緣者，實有不獲已之故。此則中國之不幸，非獨先生之不幸也。又何病焉？
子馨此書，敘戊戌政變，多取材於先生自撰之戊戌政變記。此記先生作於情感憤激之時，所言不盡實錄。子馨撰此傳時，亦為一時之情感所動盪。故此傳中關於戊戌政變之記述，猶有待於他日之考訂增改者也。

夫戊戌政變已大書深刻於舊朝晚季之史乘，其一時之成敗是非，天下後世，自有公論，茲不必言。惟先生至長沙主講時務學堂之始末，則關係先世之舊聞，不得不補敘於此，並明當時之言變法者，蓋有不同之二源，未可混一論之也。咸豐之世，先祖亦應進士舉，居京師。親見圓明園干霄之火，痛哭南歸。其後治軍治民，益知中國舊法之不可不變。後交湘陰郭筠仙侍郎嵩燾，極相傾服，許為孤忠閎識。先君亦從郭公論文論學，而郭公者，亦頌美西法，當時士大夫目為漢奸國賊，羣欲得殺之而甘心者也。至南海康先生治今文公羊之學，附會孔子改制以言變法。其與歷驗世務欲借鏡西國以變神州舊法者，本自不同。故先祖先君見義烏朱鼎甫先生一新「無邪堂答問」駁斥南海公羊春秋之說，深以為然。據是可知余家之主變法，其思想源流之所在矣。新會先生居長沙時，余隨宦巡署，時方童稚，憒無知識。後遊學歸國，而先君晚歲多病，未敢以舊事為問。丁丑春，余偶遊故宮博物院，見清德宗所閱舊書中，有時務學堂章程一冊，上有燭燼及油污之跡，蓋崇陵乙夜披覽之餘所遺留者也。歸寓舉以奉告先君，先君因言聘新會至長沙主講時務學堂本末。先是嘉應黃公度丈遵憲，力薦南海先生於先祖，請聘其主講時務學堂。先祖以此詢之先君，先君對以曾見新會之文，其所論說，似勝於其師，不如捨康而聘梁。先祖許之。因聘新會至長沙。新會主講時務學堂不久，多患發熱病，其所評學生文卷，辭意未甚偏激，不過有開議會等說而已。惟隨來助教韓君之評語，頗涉民族革命之意。諸生家屬中有

與長沙王益吾祭酒先謙相與往還者。葵園先生見之,因得挾以詆謷新政。韓君因是解職。未幾新會亦去長沙。此新會主講時務學堂之本末,而其所以至長沙者,實由先君之特薦。其後先君坐「招引奸邪」鐫職,亦有由也。

自戊戌政變後十餘年,而中國始開國會,其紛亂妄謬,為天下指笑,新會所嘗目覩,亦助當政者發令而解散之矣。自新會歿,又十餘年,中日戰起。九縣三精,飆回霧塞,而所謂民主政治之論,復甚囂塵上。余少喜臨川新法之新,而老同涑水迂叟之迂。蓋驗以人心之厚薄,民生之榮悴,則知五十年來,如車輪之逆轉,似有合於所謂退化論之説者。是以論學論治,迥異時流,而迫於事勢,噤不得發。因讀此傳,略書數語,付稚女美延藏之。美延當知乃翁此時悲往事,思來者,其憂傷苦痛,不僅如陸務觀所云,以元祐黨家話貞元朝士之感已也。乙酉孟夏青園病叟陳寅恪書。

蓮花色尼出家因緣跋

北平圖書館藏敦煌寫本諸經雜緣喻因由記第一篇，其末云「號稱蓮花色尼」。蓋蓮花色尼出家因緣也。佛教故事中關於蓮花色尼者頗多。此寫本所述，即其一種。寅恪初取而讀之，見所謂七種呪誓惡報僅載六種。疑「七」字為「六」字之譌。或寫本有脫文，遺去一種惡報。及玩首尾文義，乃知其不然。何以見「七」字非「六」字之誤？以此篇有「設盟作七種之誓」及「作如是七種呪誓惡報」二句，其中「七」字先後再見。若言俱「六」字之譌，似不可能。又鳩摩羅什譯衆經撰雜譬喻經卷下第叄柒節，有大婦因妒以針刺殺小婦兒，致受惡報事。與此篇佛答阿難問中所述蓮花色尼前生宿業適相符合。其為與此篇故事有關，自無疑義。茲節錄彼經大意，並其文中涉及「七」字者，以資比較。

昔有一人兩婦。大婦無兒，小婦生一男。大婦心內嫉之，以針刺兒顖上，七日便死。小婦知為大婦所傷，便欲報讎。問諸比丘，欲求心中所願，當修何功德？諸比丘答言，當受持八關齋。即從比丘受八戒齋，後七日便死，轉身來生大婦為女。端正，大婦愛之。年一歲

死,大婦悲咽摧感,劇於小婦。如是七返,或二年,或三年,或四五年,或六七年。後轉端正,倍勝於前。最後年十四,已許人。垂當出門,即夜便卒死。大婦憂惱不可言,停屍棺中,不肯蓋之。日日看視,死屍光顏益好,勝於生時。有阿羅漢往欲度脫,到其人家,從乞。沙門見婦顏色憔悴,言,何爲乃爾?婦言,前後生七女,點慧可愛,便亡。此女最大,垂當出門,便復死亡,令我憂愁。沙門言,汝家小婦本坐何等死?小婦兒爲何等死?婦聞此語,默然不答,心中慚愧。沙門言,汝殺人子,令其母憂愁懊惱,故來爲汝作子,前後七返,是汝家欲以憂毒殺汝。汝試往視棺中死女,知復好否?婦往視之,便爾壞爛,臭不可近。問何故念之?婦即慚愧,便藏埋之,從沙門求受戒。沙門言,明日來詣寺中。女死,便作毒蛇,知婦當行受戒,於道中待之,欲嚙沙門。沙門往,蛇遂遮前,不得前去。沙門知之。沙門謂蛇曰,汝後世世更作他小婦,共相酷毒,汝斷其道。汝世世當入泥犁中。汝今(令)懊惱已七返,汝前後過惡可度。此婦今行受戒,汝勿殺之。大婦一反殺兒,汝今(令)懊惱已七返,汝前後過惡皆可度。此婦今行受戒,自知宿命。持頭著地,不喘息。沙門廞願言,今汝二人宿命更相懊惱,罪過從此各畢,於是世世莫復惡意相向。二俱懺悔訖,蛇即命終。便生人中,受戒作優婆夷。

據此,七之爲數,乃規定不移之公式。故作咒誓惡報,亦應依此公式作七種。然則此篇之「七」

字，非「六」字之誤，益可因此證明。或謂「七」字固非「六」字之誤，但七種惡報，僅載六種，而闕其一種者，安知非傳寫時，無意中所脫漏乎？為此說者，頗似言之成理。迨詳繹此篇首尾文義，乃知其說亦不可能。蓋此篇蓮花色尼前生所設之（一）夫被蛇螫殺，及（二）生兒被狼喫。（三）被水溺。（四）自身生理。（五）自食兒肉。（六）父母被火燒。共六種惡報，皆一一應驗。既於篇首起，逐節詳悉叙述，復於篇末佛答阿難問中，重舉各種惡報之名。傳寫時無意中縱有脫漏，何能全部遺去，不載一字。且篇中歷叙各種惡報，至蓮花色尼投佛出家止，皆意義聯貫，次序分明，殊無闕少之痕跡。則此篇七種惡報，只載六種，其非傳寫時無意中脫漏，又可知矣。傳寫之譌誤，或無心之脫漏，二種假定俱已不能成立。僅餘一可能之設想，即編集或錄寫此諸經雜緣喻因由記者，有所惡忌，故意迴削一種惡報。兹從印度原文資料中，補其所闕之一種惡報，並推測其所以迴削之故於下。

檢巴利文涕利伽陀（此名依善見律毘婆沙壹序品之音譯。）第陸肆蓮花色尼篇第貳貳肆及第貳貳伍偈，述母女共嫁一夫，其夫即其所生之子事。又見於涕羅伽陀（此名亦依善見律毘婆沙壹序品之音譯。）第壹貳肆恆河岸比丘篇第壹貳柒及第壹貳捌偈。據法護撰涕利伽陀此篇注解（巴利

學會本第壹玖伍至第壹玖柒頁。)所載此尼出家因緣,與敦煌寫本大抵相同,惟其中有一事絕異而為敦煌寫本所無者,即蓮花色尼屢嫁。而所生之子女皆離失,不復相識,復與其所生之女共嫁於其所生之子。迨既發覺,乃羞惡而出家焉。

印度佛教經典注解,每喜徵引往昔因緣。若一考其實,則多為後來所附益,而非原始所應有。但蓮花色尼與其女共嫁其子之事,見於偈頌之本文,決非注解中其他後來傳會之本事可比。且為全篇最要之一事,即蓮花色尼出家關鍵之所在。凡敘其出家始末者,斷不容略去此節。今敦煌寫本備載蓮花色尼出家因緣中其他各節,大抵與巴利文本相同。獨闕此聚隸之惡報,其為故意之迴削,而非傳寫時無心之脫漏,似不容疑。考佛藏中往往以男女受身之由,推本於原始聚隸之念。用是激發羞惡之心,且可藉之闡明不得不斷欲出家之理。如大寶積經卷五十五佛為阿難說處胎會壹叁(法護譯胞胎經與此經同,而其文較簡。)云︰

如是中陰欲受胎時,先起二種顛倒之心。云何為二?所謂父母和合之時,若是男者,於母生愛,於父生瞋,父流胤時,謂是己有。若是女者,於父生愛,於母生瞋,母流胤時,謂是己有。若不起此瞋愛心者,則不受胎。

又大寶積經卷伍陸佛說入胎藏會壹肆云︰

又彼中有欲入胎時,心即顛倒。若是男者,於母生愛,於父生憎。若是女者,於父生愛,

又瑜伽師地論壹本地分中意地第貳之壹云：

彼於爾時，見其父母共行邪行所出精血，而起顛倒。起顛倒者，謂見父母爲邪行時，不謂父母行此邪行，乃起顛倒覺，見已自行。見已自行，便起貪愛。若當欲爲女，彼即於父，便起會貪。若欲爲男，彼即於母起貪亦爾，乃往逼趣。若女於母，欲其遠去。若男於父，心亦復爾。生此欲已，或唯見男，或唯見女，如（如是如是？）如是如是，漸漸不見父母餘分，唯見男女根門。即於此處，便被拘礙。死生道理如是應知。

則所言更詳顯矣。此種學說，其是非當否，姑不置論。惟與支那民族傳統之倫理觀念絕不相容，則不待言。佛法之入中國，其教義中實有與此土社會組織及傳統觀念相衝突者。如東晉至初唐二百數十年間，「沙門不應拜俗」及「沙門不敬王者」等説見於彦悰六卷之書者（唐彦悰集沙門不應拜俗議），皆以委婉之詞否認此土君臣父子二倫之議論。然降及後世，國家頒佈之法典，既有僧尼應拜父母之條文。（見薛允升唐明律合編玖及清律例壹柒禮律儀制「僧道拜父母」條。）僧徒改訂之規律，如禪宗重修之百丈清規。其首次二篇，乃頌禱奉君主之祝釐章及報恩章，供養佛祖之報恩章轉居在後。（式咸至大清規序云：「始此書之作，或以爲僧受戒首之。或以住持入院首之。壬午，依覺菴先師於承天，朝夕扣問，因得以祝聖如來降誕二儀冠其前。其餘門於母生憎，亦復相同。

蓮花色尼出家因緣跋

一七三

分類聚,釐為十卷。」據此,可知百丈原書猶略存毘奈耶本意。自元以後,則全部支那化矣。)

夫僧徒戒本本從釋迦部族共和國之法制蛻蟬而來,今竟數典忘祖,輕重倒置,至於斯極。橘遷地而變為枳,吾民族同化之力可謂大矣。但支那佛教信徒,關於君臣父子之觀念,後雖同化,當其初期,未嘗無高僧大德,不顧一切忌諱,公然出而辯護其教中無父無君之說者。獨至男女性交諸要義,則此土自來佛教著述,大抵噤默不置一語。如小乘部僧尼戒律中,頗有涉及者,因以「在家人勿看」之語標識之。(高僧傳壹康僧會傳云:「〔孫皓〕因求看沙門戒,會以戒文禁秘,不可輕宣。」疑與此同。)蓋佛藏中學說之類是者,縱為篤信之教徒,以經神州傳統道德所薰習之故,亦復不能奉受。特以其為聖典之文,不敢昌言詆斥。惟有隱秘閉藏,禁絕其流佈而已。蓮花色尼出家因緣中聚麀惡報不載於敦煌寫本者,即由於此。茲為補其闕略,並附論所以見刪削之故,庶幾可使遊於方內之士,得知貝多真實語中固有非常異議,可怪之論在也。

附 注

(一)賢愚因緣經叁微妙比丘尼品壹陸所載故事與敦煌本略同,而比丘尼之名與敦煌本異。大方便佛報恩經伍慈品中華色尼自述出家因緣,僅當敦煌本故事之前半,而比丘尼之名則與敦煌本符合。此二經雖皆載有呪誓惡報之事,然均無記其若干種之文。敦煌本所以獨異者,或出於編

纂者所臆加，或別有原本可據，今固不能知。但以鳩摩羅什譯衆經撰雜譬喻經所載故事證之，則呪誓惡報七種之語恐非編纂者自增。尤可注意者，即賢愚因緣經本無原本，實爲支那僧徒遊學中亞時聽講之筆記撰集而成。（見僧祐出三藏記集玖賢愚經記。）大方便佛報恩經內容既與賢愚因緣經相似，而特重行孝報恩之義。其經序品之後即爲孝養品。又失譯者之名，疑爲同類之作品，俱經支那僧徒之手，有所改易，非復原來之舊。故與巴利文所載之較古而近真者不同，附識於此，或足以見鄙説之不甚謬也。

（二）沙門不拜俗事，可參清寬壽不拜世祖事。見康熙時所修廣濟寺新志中湛祐所作玉光壽律師傳。

（原載一九三二年一月清華學報第柒卷第壹期）

三國志曹沖華佗傳與佛教故事

陳承祚著三國志，下筆謹嚴。裴世期為之注，頗採小說故事以補之，轉失原書去取之意，後人多議之者。實則三國志本文往往有佛教故事，雜糅附益於其間，特蹟象隱晦，不易發覺其為外國輸入者耳。今略舉數事以證明之，或亦審查古代史料真偽者之一助也。

魏志貳拾鄧哀王沖傳云：

鄧哀王沖字倉舒，少聰察歧嶷，生五六歲，智意所及，有若成人之智。時孫權曾致巨象，太祖欲知其斤重，訪之羣下，咸莫能出其理。沖曰，置象大船之上，而刻其水痕所至，稱物以載之，則校可知矣。太祖大悅，即施行焉。

葉水心適習學記言貳柒論此事曰：

倉舒童穉，而有仁人之心，並舟稱象，為世開智物理，蓋天稟也。

何義門焯以倉舒死於建安十三年前，知其事為妄飾，而疑置水刻舟，算術中是直信以為事實。邵二雲晉涵據吳曾能改齋漫錄引苻子所載燕昭王命水官浮大豕而量之，謂其事已或本有此法。

在前。(見梁章鉅三國志旁證壹肆。)然皆未得其出處也。考北魏吉迦夜共曇曜譯雜寶藏經壹棄老國緣云：

天神又問，此大白象有幾斤？而羣臣共議，無能知者。亦募國內，復不能知。大臣問父，父言，置象船上，著大池中，畫水齊船，深淺幾許，即以此船量石著中，水沒齊畫，則知斤兩。即以此智以答天神。

寅恪案，雜寶藏經雖為北魏時所譯，然其書乃雜採諸經而成，故其所載諸國緣，多見於支那先後譯出之佛典中。如卷捌之難陀王與那伽斯那共論緣與那先比丘問經之關係，即其一例。因知卷壹之棄老國緣亦當別有同一內容之經典，譯出在先。或雖經譯出，而書籍亡逸，無可徵考。或雖未譯出，而得輾轉流傳至於中土，遂附會為倉舒之事，以見其智。但象為南方之獸，非曹氏境內所能有，不得不取其事與孫權貢獻事混成一談，以文飾之，此比較民俗文學之通例也。

又涵芬樓影印百衲本三國志貳玖魏書貳玖華佗傳（可參後漢書列傳柒貳下華佗傳。）略云：

華佗字元化，一名旉。（裴注：古敷字與專相似，寫書者多不能別。尋佗字元化，其名宜為旉也。）曉養性之術，時人以為年且百歲，而貌有壯容。又精方藥，其療疾，合湯不過數種，煮熟便飲，語其節度，捨去輒愈。若病結積在內，針藥所不能及，當須刳割者，便

飲其麻沸散,須臾便如醉死無所知,因破取。病若在腸中,便斷腸湔洗,縫腹膏摩,四五日差,不痛,人亦不自寤,一月之間即平復矣。佗行道見一人病咽塞,嗜食而不得下,家人車載欲往就醫。佗聞其呻吟,駐車往視,語之曰:「向來道邊有賣餅家蒜虀大酢,從取三升飲之,病自當去。」即如佗言,立吐蛇一枚,縣車邊,欲造佗。佗尚未還,坐,見佗北壁縣此蛇輩約以十數。又有一士大夫不快,佗云:「君病深,當破腹取。然君壽亦不過十年,病不能殺君,忍病十歲,壽俱當盡,不足故自刳裂。」士大夫不耐痛癢,必欲除之。佗遂下手,所患尋差,十年竟死。廣陵太守陳登得病,胸中煩懣,面赤不食。佗脈之曰:「府君胃中有蟲數升,欲成內疽,食腥物所爲也。」即作湯二升,先服一升,斯須盡服之。食頃,吐出三升許蟲,赤頭皆動,半身是生魚膾也。所苦便愈。佗曰:「此近難濟,恆事攻治,可延歲月。」佗久遠家思歸,因曰:「當得家書,方欲暫還耳。」到家,辭以妻病,數乞期不反。太祖累書呼,又敕郡縣發遣。佗恃能,厭食事,猶不上道。太祖大怒,使人往檢。若妻信病,賜小豆四十斛,寬假限日。若其虛詐,便收送之。於是傳付許獄,考驗首服。佗死後,太祖頭風未除。太祖曰:「佗能愈此。小人養吾病,欲以自重。然吾不殺此子,亦終當不爲我斷此根原耳。」及後愛子

杭大宗世駿三國志補注肆引葉夢得玉澗雜書略云：

華佗固神醫也。然范曄陳壽記其治疾，皆言若病結積在內，針藥所不能及者云云，此決無之理。人之所以為人者以形，而形之所以生者以氣也。佗之藥能使人醉無所覺，可以受其刳割，與能完養，使毀者復合，則吾所不能知。然腹背腸胃既以破裂斷壞，則氣何由含，安有如是而復生者乎？審佗能此，則凡受支解之刑者，皆可使生，王者亦無所復施矣。是昔人固有疑其事者。夫華佗之為歷史上真實人物，自不容不信。然斷腸破腹，數日即差，揆以學術進化之史蹟，當時恐難臻此。其有神話色彩，似無可疑。檢天竺語「agada」乃藥之義。舊譯為「阿伽陀」或「阿羯陀」，為內典中所習見之語。「華」字古音，據瑞典人高本漢字典為 rwa，日本漢音亦讀「華」為「か」。則「華佗」二字古音與「gada」適相應，其滳去「阿」字者，猶「阿羅漢」僅稱「羅漢」之比。蓋元化固華氏子，其本名為旉而非佗，當時民間比附印度神話故事，因稱為「華佗」，實以「藥神」目之。此魏志後漢書所記元化之字，所以與其一名之旉相應合之故也。

又考後漢安世高譯㮈女耆域因緣經所載神醫耆域諸奇術，如治拘睒彌長者子病，取利刀破腸，披腸結處。治迦羅越家女病，以金刀披破其頭，悉出諸蟲，封著甕中，以三種神膏塗瘡，七日便愈，乃出蟲示之，女見，大驚怖。及治迦羅越家男兒肝反戾向後病，以金刀破腹，還肝向

前,以三種神膏塗之,三日便愈。其斷腸破腹,固與元化事不異,而元化壁縣病者所吐之蛇以十數,及治陳登疾,令吐出赤頭蟲三升許,佗治劉勳女膝瘡事。)至元化為魏武療疾致死,耆域亦以醫暴君病,幾為所殺,賴佛成神,僅而得免。則其遭際符合,尤不能令人無因襲之疑。(敦煌本勾道興搜神記載華佗事有:「漢末開腸,洗五藏,劈腦出蟲,乃為魏武帝所殺」之語,與梵女耆域因緣經所記尤相似。)然此尚為外來之神話,附益於本國之史實也。若慧皎高僧傳之耆域,則於晉惠帝之末年,經扶南交廣襄陽至於洛陽,復取道流沙而返天竺(見高僧傳玖)。然據梵女耆域因緣等佛典,則耆域為佛同時人,若其來遊中土,亦當在春秋之世,而非典午之時,斯蓋直取外國神話之人物,不經比附事實或變易名字之程序,而竟以為本國歷史之人物,則較華佗傳所記,更有不同矣。

寅恪嘗謂外來之故事名詞,比附於本國人物事實,有似通天老狐,醉則見尾。如袁宏竹林名士傳,戴逵竹林七賢論,孫盛魏氏春秋,臧榮緒晉書及唐修晉書等所載嵇康等七人,史上之人物也。獨七賢所遊之「竹林」,則為假託佛教名詞,即「Velu」或「Veluvana」之譯語,乃釋迦牟尼說法處,歷代所譯經典皆有記載,而法顯(見佛國記)玄奘(見西域記玖)所親歷之地。此因名詞之沿襲,而推知事實之依託,亦審查史料真偽之一例也。(聞日本學者有論此事之著

作，寅恪未見。）總而言之，三國志曹沖華佗二傳，皆有佛教故事，輾轉因襲雜糅附會於其間，然巨象非中原當日之獸，華佗為五天外國之音，其變遷之跡象猶未盡亡，故得賴之以推尋史料之源本。夫三國志之成書，上距佛教入中土之時，猶不甚久，而印度神話傳播已若是之廣，社會所受之影響已若是之深，遂致以承祚之精識，猶不能別擇真偽，而並筆之於書。則又治史者所當注意之事，固不獨與此二傳之考證有關而已也。

（原載一九三〇年六月清華學報第陸卷第壹期）

贈蔣秉南序

清光緒之季年，寅恪家居白下，一日偶檢架上舊書，見有易堂九子集，取而讀之，不甚喜其文，唯深羨其事。以為魏丘諸子值明清嬗蛻之際，猶能兄弟戚友保聚一地，相與從容講文論學於乾撼坤岌之際，不謂為天下之至樂大幸，不可也。當讀是集時，朝野尚稱苟安，寅恪獨懷辛有索靖之憂，果未及十稔，神州沸騰，寰宇紛擾。寅恪亦以求學之故，奔走東西洋數萬里，終無所成。凡歷數十年，遭逢世界大戰者二，內戰更不勝計。其後失明臏足，棲身嶺表，已奄奄垂死，將就木矣。默念平生固未嘗侮食自矜，曲學阿世，似可告慰友朋。至若追蹤昔賢，幽居疏屬之南，汾水之曲，守先哲之遺範，託末契於後生者，則有如方丈蓬萊，渺不可即，徒寄之夢寐，存乎退想而已。嗚呼！此豈寅恪少時所自待及異日他人所望於寅恪者哉？雖然，歐陽永叔少學韓昌黎之文，晚撰五代史記，作義兒馮道諸傳，貶斥勢利，尊崇氣節，遂一匡五代之澆漓，返之淳正。故天水一朝之文化，竟為我民族遺留之瓌寶。孰謂空文於治道學術無裨益耶？蔣子秉南遠來問疾，聊師古人朋友贈言之意，草此奉貽，庶可共相策勉云爾。甲辰夏五七十五叟陳寅恪書於廣州金明館。

〔附〕寒柳堂記夢未定稿

按：寒柳堂記夢未定稿原共七章，一九六五年夏至一九六六年春間所寫，為先師最後之作。曾由助教黃萱繕寫謄清稿兩份，大都在混亂中佚失，迄今僅存零星殘稿，計：「弁言」，全。（一）「吾家先世中醫之學」，全。（二）「清季士大夫清流濁流之分野及其興替」，所寄，僅存殘稿如許，不其痛歟！茲將殘文併全文目錄，附印於寒柳堂集之末。又，「吾家先世中醫之學」及「清季士大夫清流濁流之分野及其興替」「戊戌政變與先祖先君之關係」三部分，所用均係初稿，無可校。將來如能發現全稿，將另印單冊附後。

一九七九年十二月及門蔣天樞識

目　録

弁　言

（一）吾家先世中醫之學
（二）清季士大夫清流濁流之分野及其興替
（三）孝欽后最惡清流（佚）
（四）吾家與豐潤之關係（佚）
（五）自光緒十年三月至二十年十一月間清室中央政治之腐敗（佚）
（六）戊戌政變與先祖先君之關係
（七）關於寅恪之婚姻（佚）

弁　言

東坡詩云：「事如春夢了無痕。」但又云：「九重新掃舊巢痕。」夫九重之舊巢亦夢也。舊巢之舊痕既可掃，則寅恪三世及本身舊事之夢痕，豈可不記耶？

昔年康更生先生(有為)百歲紀念，因感吾家與戊戌政變事，曾為賦一律云：

此日欣能獻一尊，百年世事不須論。看天北斗驚新象，記夢東京惜舊痕。元祐黨家猶有種，江潭騷客已無魂。玉谿滿貯傷春淚，未肯明流且暗吞。

今歲又賦「題紅梅圖」一律，圖為寅恪與內子唐篔結褵時曾農髯丈(熙)所繪贈，迄今將四十載矣。其詩云：

鏡臺畫幅至今存，偕老渾忘歲序奔。紅燭高燒光並照，綠雲低覆悄無言。栽花幾換湖山面，度曲能留月夜魂。珍重玳瑁香茜影，他生同認舊巢痕。

然則夢痕不僅可記，其中復有可惜者存焉。復次，寅恪童時讀庾信哀江南賦序云：「昔桓君山之志事，杜元凱之平生，並有著書，咸能自序。潘岳之文采，始述家風；陸機之辭賦，先陳世德。信年始二毛，即逢喪亂。藐是流離，至於暮齒。」深有感於其言。後稍長偶讀宋賢涑水記聞及老學庵筆記二書，遂欲取為模楷，從事著述。今既

[附]寒柳堂記夢未定稿

一八五

屈暮齒，若不於此時成之，則恐無及。因就咸同光宣以來之朝局，與寒家先世直接或間接有關者，證諸史料，參以平生耳目見聞，以闡明之。並附載文藝瑣事，以供談助，庶幾不賢者識小之義。既不誣前人，亦免誤來者。知我罪我，任之而已。

其所以取君實之書，以為模楷者，蓋四庫全書總目提要壹肆零涑水記聞條略云：

宋司馬光撰。是編雜錄宋代舊事，起於太祖，訖於神宗。每條皆注其述說之人，故曰記聞。或如張詠請斬丁謂之類，偶忘名姓者，則注曰不記所傳。明其他皆有證驗也。

此文所記，皆有證驗，竊比於溫公是書也。

其所以取務觀之書，以為模楷者，蓋陳振孫直齋書錄解題壹壹老學庵筆記條云：

陸游務觀撰，生識前輩，年登耄期，所記見聞殊可觀也。

與寅恪之家世及草此文之時日，頗亦相合。故不揣淺陋，藉作模楷也。然復有可論者，據李慈銘桃華聖解盦日記辛集貳云：

放翁此書，在南宋時足與猗覺寮雜記，曲洧舊聞，梁谿漫志，賓退錄諸書並稱。其雜述掌故，間考舊文，俱爲謹嚴。所論時事人物，亦多平允。〔四庫〕提要譏其以其祖左丞之故於王氏及字説俱無貶辭，不免曲筆。今考其書，於荊公亦無甚稱述。如云輕沈文通，以爲寡學。誚鄭毅夫不識字。又不樂滕元發，目爲滕屠鄭酤，及裁減宗室恩數諸條，俱不署斷

語，而言外似有未滿意。惟一條云，「先左丞言荆公有詩正義一部，朝夕不離手，字大半不可辨。世謂荆公忽先儒之說，蓋不然也。」則荆公本深於經學，所記自非妄說。其言字說，亦祇一條云，「字說盛行時，有唐博士耜，韓博士兼皆作字說解數十卷。太學諸生作字說音訓十卷。劉全美作字說偏旁釋一卷，字說備檢一卷。又以類相從爲字會二十卷。」以及故相吴元中，門下侍郎薛肇明等詩之用字說，而未嘗加論斷，至所舉「十目視隱爲直」則本說文義也。其論詩數十條，亦多可觀。劍南於此事本深，尤其談言微中。

由此言之，放翁之祖陸農師（佃），爲王荆公門人，（見宋史叁肆叁陸佃傳。）後又名列元祐黨籍。（見王昶金石萃編壹肆肆元祐姦黨碑。）是放翁之家世，與臨川涑水兩黨俱有關聯。其論兩黨之得失最爲公允。清代季年，士大夫實有清流濁流之分。寅恪本人或以世交之誼，或以姻婭之親，於此清濁兩黨，皆有關聯，故能通知兩黨之情狀並其所以分合錯綜之原委。因草此文，排除恩怨毀譽務求一持平之論斷。他日讀者儻能詳考而審察之，當信鄙言之非謬也。

抑更有可附言者，寅恪幼時讀中庸至「衣錦尚絅，惡其文之著也」一節，即銘刻於胸臆。父執姻親多爲當時勝流，但不敢冒昧謁見。偶以機緣，得接其丰采，聆其言論，默而識之，但終有限度。今日追思，殊可惜矣。至寒家在清季數十年間，與朝野各方多所關涉，亦別有其故。先祖僅中乙科，以家貧養親，不得已而就末職。其仕清朝，不甚通顯，中更挫跌，罷廢八稔。年過

六十，始得巡撫湖南小省。在位不逾三載，竟獲嚴譴。先君雖中甲科，不數月即告終養。戊戌政變，一併革職。後雖復官，迄清之末，未嘗一出。然以吏能廉潔及氣節文章頗負重名於當代。清季各省初設提學使，先君摯友喬茂萱丈樹柟為學部尚書榮慶所信任，故擬定先君為湖南提學使。是時熊秉三丈希齡適在京師，聞其事，即告當局謂先君必不受職。遂改授其時湖南學政吳子修丈慶坻。

又清帝遜位後，陳公寶琛任師傅，欲引先君相佐，先君辭以不能操京語。陳公遂改薦朱艾卿丈（益藩）。朱丈亦陳公光緒八年壬午主贛省鄉試所取士，與先君為齊年生也。

寅恪以家世之故，稍稍得識數十年間興廢盛衰之關鍵。今日述之，可謂家史而兼信史歟？

（一）吾家先世中醫之學

吾家素寒賤，先祖始入邑庠，故寅恪非姚逃虛所謂讀書種子者。先曾祖以醫術知名於鄉村間，先祖先君遂亦通醫學，為人療病。寅恪少時亦嘗瀏覽吾國醫學古籍，知中醫之理論方藥，頗有由外域傳入者。然不信中醫，以為中醫有見效之藥，無可通之理。若格於時代及地區，不得已而用之，則可。若矜誇以為國粹，駕於外國醫學之上，則昧於吾國醫學之歷史，殆可謂數典忘祖歟？曾撰三國志中印度故事，崔浩與寇謙之及元白詩箋證稿第伍章法曲篇等文，略申鄙見，

茲不贅論。小戴記曲禮曰：「醫不三世，不服其藥。」先曾祖至先君，實為三世。然則寅恪不敢以中醫治人病，豈不異哉？孟子曰：「君子之澤，五世而斬。」長女流求，雖業醫，但所學者為西醫。是孟子之言信矣。郭篔仙嵩燾養知書屋文集貳壹陳府君墓碑銘略云：

陳琢如先生諱偉琳。祖鯤池由閩遷江西之義甯州，再傳而生先生。考克繩，生子四人，先生其季也。先生以太淑人體羸多病，究心醫家言，窮極靈樞素問之精蘊，遂以能醫名。病者踵門求治，望色切脈，施診無倦。配李淑人。子三人，樹年某官，觀瑞殤，寶箴〔咸豐〕辛亥舉。

據此，中醫之學乃吾家學，今轉不信之，世所稱不肖之子孫，豈寅恪之謂耶？

翁文恭公日記「光緒二十一年乙未正月二十日」條云：

晚訪陳右銘，未見。燈後右銘來辭行，長談。爲余診云，肝旺而虛，命腎皆不足。牛精汁白术皆補脾要藥，可常服。（自注：「脈以表上十五秒得十九至，爲平。余脈十八至，故知是虛。」）

寅恪少時多病，大抵服用先祖先君所處方藥。自光緒二十六年庚子移家江甯，始得延西醫治病。自後吾家漸不用中醫。蓋時勢使然也。猶憶光緒二十一年乙未，先祖擢任直隸布政使，先君侍先祖母留寓武昌，（先祖母事蹟見馬通伯丈（其昶）所撰「陳母黃夫人墓誌銘」。）一日忽見傭工攜魚翅一梘，酒一甕並一紙封，啟先祖母曰，此禮物皆譚撫臺所贈者。紙封內有銀票伍佰

兩，請查收。先祖母曰，銀票萬不敢受，魚翅與酒可以敬領也。傭工從命而去。譚撫臺者，譚復生嗣同丈之父繼洵，時任湖北巡撫。曾患疾甚劇，服用先祖所處方藥，病遂痊癒。譚公夙知吾家境不豐，先祖又遠任保定，恐有必需，特饋以重金。寅恪侍先祖母側，時方五六歲，頗訝為人治病，尚得如此酬報。在童稚心中，固為前所未知，遂至今不忘也。

又光緒二十五年己亥先祖寓南昌，一日諸孫侍側，閒話舊事，略言昔年自京師返義甯鄉居，先曾祖母告之曰，前患咳嗽，適門外有以人參求售者，購服之即痊。蓋薺苊似人參，而能治咳嗽之病。本草所載甚明。（見本草綱目壹貳「薺苊」條。）特世人未嘗注意及之耳。寅恪自是始知有本草之書，時先母多臥疾，案頭常置本草綱目節本一部，取便翻閱。寅恪即檢薺苊一藥，果與先祖之言符應。是後見有舊刻醫藥諸書，皆略加披閱，但一知半解，不以此等書中所言者為人處方治病，唯藉作考證古史之資料，如論胡臭與狐臭一文，即是其例也。

（二）清季士大夫清流濁流之分野及其興替

清代同光朝士大夫有清流濁流之分，黃秋岳花隨人聖庵摭憶論之詳矣。黃氏書所論迄於光緒中晚，此後，即光緒之末至清之亡，則未述及。其實光緒之末至清之亡，士大夫仍繼續有清濁之

別,請依次論之。秋岳之文本分載於當時南京中央日報,是時寅恪居北平,教授清華大學,故未得見。及蘆溝橋事變,北平淪陷,寅恪隨校南遷長沙昆明,後又以病暫寓香港,講學香港大學。至太平洋戰起,乃由香港至桂林成都。日本投降,復遠遊倫敦,取道巴拿馬運河歸國,重返清華園,始得讀秋岳之書,深賞其賜臺山看杏花詩「絕艷似憐前度意,繁枝留待後來人」之句,感賦一律云:

當年聞禍費疑猜,今日開編惜此才。世亂佳人還作賊,劫終殘妓幸餘灰。荒山久絕前遊盛,斷句猶牽後死哀。見說暘臺花又發,詩魂應悔不多來。

秋岳坐漢奸罪死,世人皆曰可殺。然今日取其書觀之,則援引廣博,論斷精確,近來談清代掌故諸著作中,實稱上品,未可以人廢言也。

茲先節錄黃氏書與此問題有關之數則,然後再續述黃氏所未言及者。至黃氏所論間有舛誤,或有待說明,則亦略補正並解釋之於下。

簡要言之,自同治至光緒末年,京官以恭親王奕訢李鴻藻陳寶琛張佩綸等,外官以沈葆楨張之洞等為清流。京官以醇親王奕譞孫毓汶等,外官以李鴻章張樹聲等為濁流。至光緒迄清之亡,京官以瞿鴻禨張之洞等,外官以陶模岑春煊等為清流。京官以慶親王奕劻袁世凱徐世昌等,外官以周馥楊士驤等為濁流。但其間關係錯綜複雜先後互易,亦難分劃整齊,此僅言其大概,讀者

[附]寒柳堂記夢未定稿

一九一

不必過於拘泥也。黃氏之書(花隨人聖庵摭憶)略云：

淮南彭孫貽客舍偶聞一帙，順德李芍農侍郎(文田)注之。所記康熙初年滿人互相擠軋之狀，歷歷如繪。嘗謂有清一代，開國時滿大臣互相擠軋，而漢大臣新進，兢兢業業，奉公守法，康熙諸主輒利用之以成大業。及晚清同光以來，則漢大臣互相齮齕，而滿大臣驕奢宴樂，駸不知事，宮闈亦相陷，以速其亡。蓋宦途未有不相擠者，特視爲何如人。愚者譬如擔夫爭道，智者則擊轂償車矣。試以晚清言，曾文正見扼於祁文端，微肅順左右之，幾不能成功，是一例。曾氏兄弟，與左文襄沈文肅交惡，雖無大影響，亦是一例。光緒初葉，帝后兩黨交鬨，而李高陽與翁常熟交惡，其終也，促成中日甲午之戰，所關於國運者甚大。當時高陽常熟陰陽相陷，而合肥李文忠居外，其時有言文忠有異心者，旨令常熟密查，覆奏，李鴻章心實無他，事見宋芸子詩自注。其後翁力主戰，李欲格之，不能。不可戰而戰，所失倍甚。(頁五十五)

黃書又云：

前所採拔可先生尊人次玉先生在南皮兩江督幕中錄藏光緒甲午乙未間中東戰役諸電，册後尚錄其時散原老人自武昌致南皮一電，以馬關和約簽定，請籲奏誅合肥以謝天下，此電南皮未作覆。當時士論沸騰，主此說至多，散原老人今年八十三，是時年裁四十一，與丁叔

[附]寒柳堂記夢未定稿

雅（慧康）譚復生（嗣同）吳彥復（保初）號四公子，風采蹕發，物望所歸。故其時右銘先生雖開府直隸，而散老忠憤所迫，不遑顧慮，輒敢以危言勸南皮也。予初未諳散老此電命意，近讀散原精舍文存，自爲其尊人右銘先生行狀，有云：「其時李鴻章自日本使還，留天津，羣謂且復總督任。府君憤不往見，曰，李公朝抵任，吾夕掛冠去矣。人或爲李公解，府君曰，勛舊大臣如李公，首當其難，極知不堪戰，當投闕瀝血自陳，爭以死生去就，如是，十可七八回聖聽，今猥塞責望謗議，舉中國之大，宗社之重，戲付一擲，大臣均休戚，所自處寧有是耶？其世所蔽罪李公，吾蓋未暇爲李公罪矣，卒不往。」得此一段，不啻兼爲散老電下一註解。蓋義寧父子，對合肥之責難，明燭其隱，不在於不當和而和，而在於不當戰而戰，以合肥之地位，於國家爲孤注，用塞羣昏之口，不能以死生爭，義甯之責，雖下刻於書生貪功之高調，忍以國家爲孤注，猶欲明公聯合各督撫數人，力請先誅合肥，今起合肥於九京，亦無以自解也。信由斯説，則散原當日之憤激，自在意中，固卓然可存。

原電云：「讀銑電愈出愈奇，國無可爲矣，以伸中國之憤，以盡一日之心，局外哀鳴，伏維賜察。三立。」按散老此電，再圖補救，戌刻至江寧者。（頁二一四）

乙未五月十七日由武昌發，戌刻至江寧者。

按：此章殘稿，係從另一册初稿殘稿中録出。此章未完，以下缺。樞識。

（六）戊戌政變與先祖先君之關係

碑傳集補壹貳黃尚毅撰楊叔嶠先生事略略云：

【戊戌六月】十三日，朝旨以湘撫陳寶箴薦，詔先生預備召見。十四日召對，極言興學練兵為救亡之策。上感其誠，詔立京師學堂。而川人李徵庸在津辦賑，先生勸捐二萬金立蜀學堂，直省在京立學自蜀始也。先生在軍機章京時，決疑定難，樞垣舊僚皆拱手推服。每一起草，條理精密，往往數百言無一字移易。其學與年俱進如此。三十以前，經史辭章原於家學。【兄】聽彝先生著說經堂叢書，倡起蜀學，得先生而益盛，人咸以軾轍許之。先生以隋史簡略，著隋史補遺四十卷，楷錄成冊，藏於家。詩文約數十篇皆散見無存稿。三十以後，留心掌故之學，感憤時事，不肯託諸空文。而代人作奏議獨多，不備舉，舉其關係天下者。甲午乙未中日戰後，孝欽復幸頤和園，內監寇良才上書諫，被殺。朝士無敢言者。先生乃激勵侍御王鵬運，並代作書上之，語頗切直。戊戌新學之士漸起，言論過激，先生慮朝士水火，非得有學術通知時事大臣，居中啓沃，弗克匡救。當時徐公世昌以翰林佐今大總統袁臬司治兵於小站，亦與先生書云：自中日戰後，合肥坐困，日本伊藤來京師，頗睨中國無人。此時欲求抵禦之策，非得南皮入政府不可。先生得書，乃與喬樹枏說大學士

徐桐，並代作疏薦張。得旨陛見。樞府翁同龢不悅張，會沙市有教案，乃與張蔭桓密謀中阻。張已至上海，奉旨折回。先生匡救之懷乃弗遂矣。先生代人作疏，不肯受名，事後即焚草，其公恕如此。尚毅戊戌留京，住先生寓齋，每侍談燕，故得備聆也。先生既值樞府，德宗召見賜手詔云：「近日朕仰觀聖母意旨，不欲退此老耄昏庸之大臣。先生既進用英勇通達之人。亦不欲將法盡變。雖朕隨時幾諫，而慈意甚堅。即如七月二十六日之事，聖母已謂太過。朕豈不知中國積弱不振，非退此老耄昏庸之大臣而力行新政不可。然此時不朕權力所不能及，若必強以行之，朕位且不能保。爾與劉光第譚嗣同林旭等詳悉籌議，必如何而後能進此英勇通達之人，使新政及時舉行，又不致少拂聖意，即具封奏以聞，候朕審擇施行，不勝焦慮之至。欽此。」七月二十六日因禮部司員王照請代上封事。堂官許應騤懷塔布等阻格不奏。先生歎息曰：皇上始誤聽於志銳，繼誤聽於李盛鐸，今又誤聽於康有為，殆哉！覆奏上即召見。於是有旨派康有為至上海。樞臣皆慶幸，以不召對先生康不得去，禍不得息也。先生既下值，王彥威京卿來函云：與此輩少年共事，有損無益。公他日進退俱難。先生得書，急邀林旭至寓齋，切責之。林默然。初五日訓政詔下，蓋因繆延福等告變，故孝欽突然回宮也。次日，先生云：我等定出軍機。若皇上無事，我等出京，若有不測，決無可去之義。初九日晨起，先生被逮。慶昶及毅亦同被拘。至坊上，先生

曰：彼公車也，何故拘之？故毅及慶昶得釋，而下先生刑部獄。同鄉喬樹枏乃電知張文襄請救。刑部以案情重大，請派大臣會審，十二日，直隸總督榮祿入京，召見。是夜文襄電至津，請榮轉奏：願以百口保楊銳。次日已宣佈行刑而轉電始至，已無及矣。先生與劉光第入獄，殊泰然。至十三日，乃各加以凶服，劉固刑部司官，詫曰：就刑矣！至法庭，不屈。先生呼劉曰：裴村，且聽旨。剛毅宣旨畢，先生曰：願明心跡。剛云：有旨不准說。遂出就刑。先生既致命，尚毅同喬樹枏等棺殮。殯於清字庵。至八月二十五日，同慶昶扶柩出京回籍。宣統元年，毅同慶昶繳手詔於都察院，其詞云：竊生故父楊銳，以內閣候補侍讀於光緒戊戌年七月，仰蒙先皇帝特擢四品卿銜軍機章京上行走，參預新政事宜。併蒙特旨召見，親賜手詔，令詳議覆。生時留京寓。故父下直後，一日喚生入室，敬將手詔令生恭藏。覆奏如何？云已覆奏。生敬叩：手詔理當恭繳。故父云：事關重要，當（時）未存稿，略舉大綱三條：一言皇太后親摯天下以授之皇上，應宜遇事將順，行不去處，不宜固執己意。二言變法宜有次第，三言進退大臣，不宜太驟。生當時所聞封奏情實止此。嗣是年八月初九日，生故父與劉光第同時被逮。止謂是非一訊即明，不料邂逅就死。生慘痛昏迷，無術請代。故父門人黃尚

毅語生云：「故父忠悃，官有封奏，私有家牘，他日尚可呈請別白；惟手詔關係重要，日後應當恭繳。宜謹密藏。」即以是月扶柩歸里。道途霖雨積雪，所重者惟先皇帝手詔及故父一棺耳。今十三年矣！慘念生故父生平志行，惟與劉光第相契相規，此外並無苟同之處。且所奉先皇帝手詔尚庋藏臣家未繳，無以對先皇帝在天之靈。是以約同故父門人黃尚毅，敬齎手詔來京，籲懇代呈，以光先皇帝聖德。至生父拳拳臣節，所圖仰報先皇帝於萬一者，當時封奏諒已詳明。其生平論學制行，實與劉光第同其本末，今大學士張之洞撫晉督粵督楚時，亦所深見。謹懇奏請昭雪。奏入，留中。次年，又由資政院陳寶琛提議昭雪，通院贊成。奏入，政府卒閣不行，以迄於亡。

散原精舍文集伍巡撫先府君行狀略云：

〔光緒廿一年〕八月，詔授湖南巡撫。府君故官湖南久，習知其利病。而功績聲聞昭赫耳目間，爲士民所信愛。尤與其縉紳先生相慕嚮。平居嘗語人曰：「昔廉頗思用趙人，吾於湘人猶是也。」府君蓋以國勢不振極矣，非掃敝政，興起人材，與天下更始，無以圖存。陰念湖南據天下上游，號天下勝兵處。其士人率果敢負氣可用。又土地奧衍，煤鐵五金之產畢具。營一隅爲天下倡立富強根基，足備非常之變，亦使國家他日有所憑恃。故聞得湖南，獨竊喜自慰；而湖南人聞巡撫得府君，亦皆喜。是時湖南旱饑，赤地且千里，朝廷以

爲憂。趣府君赴任,勿入覲。遂取海道入長沙。蓋湖南所被災州縣二十餘,瀏陽、醴陵、衡山最鉅。府君先傳電各行省大吏,乞互助。旬日達復電,有助金五六十萬,府君用是稍得藉手矣。首大振三縣。瀏陽伏匪倚災數倡亂,用縣人歐陽君中鵠領振,得無事。初,府君甫視事,即嚴販米出境令。亡何,米舟逾千艘聚岳州,譁變,且竊出。府君以米禁大係安危,遣某總兵持符亟遮之,誠立誅其首梗令者。由是悉挽而上,人心大定。凡府君所設方計,得次第振活都百數十萬人。當是時,非府君爲巡撫,湖南幾大亂。府君承困敝之後,綱紀放弛,吏益雜進,貪虐窳偷之風相煽,而公私儲藏既耗竭,萬事壞廢待理。府君以爲其要者在董吏治,闢利源,其大者在變士習,開民智,飭軍政,公官權。於是察劾府縣以下昏墨不職二十餘人,而代以榦良者。桃源令貪暴無人理,上其罪至遣戍。羣吏懾然,遂改觀。既設礦務局,別其目曰官辦,商辦,官商合辦,又設官錢局,鑄錢局,以朱公昌琳領之。朱公七十餘,負榦略,以義俠聞四方,老謝客,獨爲府君出。又通電竿,接鄂至湘潭,以張君祖同領之。而時務學堂,算學堂,湘報館,南學會,武備學堂,製造公司之屬,以次畢設。又設保衛局,附遷善所,以鹽法道黃君遵憲領之。又屬黃君改設課吏館,草定章程,以及丈勘沅江漲地數十萬畝,皆已萌芽發其端,利公司,輪舟公司,由是規模粗定。當是

光緒朝東華錄光緒二十四年二月壬戌條略云：

時，江君標爲學政，徐君仁鑄繼之，黃君遵憲來任鹽法道，署按察使，皆以變法開新治爲己任。其士紳負才有志意者，復慷慨奮發，迭起相應和，風氣幾大變。湖南之治稱天下，而謠諑首禍亦始此。先是府君既銳興庶務，競自強，類爲湘人耳目所未習，不便者遂附會構煽，疑謗漸興。……復以學堂教習與康有爲連，愈益造作蜚語，怪幻不可究詰。徒以上意方嚮用府君，嗫不得發。二十四年八月康梁難作，詔坐府君濫保匪人，遂斥廢。彈章遂蠭起。會朝廷所誅四章京而府君所薦楊銳劉光第在其列，凡累年所腐心焦思，廢眠忘餐，艱苦曲折經營締造者，蕩然俱盡。獨礦務已取優利，得不廢。……與郭公嵩燾尤契厚，郭公方言洋務負海內重謗，獨府君推爲孤忠閎識，殆無其比。及巡撫湖南，郭公已先卒，遇設施或牴悟，輒自傷曰：郭公在不至是也。其爲治，規模遠大，務程功於切近。視國家之急逾其私。……復密陳籌飭海軍，聯與國之策。故府君獨知時變所當爲而已，不復較孰爲新舊，尤無所謂新黨舊黨之見。康有爲之初召對也，即疏言其短長所在，推其疵弊。四章京之初直軍機亦然，曾疏言，變法事至重，要資望輕而視事易。……政既變，復電達大學士榮祿，諷其遵主庇民，息黨禍，維元氣。

陳寶箴奏：臣於光緒二十二年，准禮部咨山西撫臣胡聘之奏請變通書院章程一摺，承准總理衙門諮議覆刑部左侍郎李端棻奏請推廣學校一摺；本年三月，又承准總理衙門諮議覆安徽巡撫鄧華熙奏，籌議添設學堂，請撥常年經費一摺，均奉旨依議諮飭通行。仰見我皇上獎勵實學，培養人材之至意。欽感莫名。自咸豐以來，削平寇亂，名臣儒將，多出於湘。其民氣之勇，士節之盛，實甲於天下。而恃其忠肝義膽，敵王所愾，不願師他人之長，其義憤激烈之氣，鄙夷不屑之心，亦以湘人爲最。近年聞見漸拓，風氣日開，頗以講求實學爲當務之急。臣自到任，迭與湘省紳士互商提倡振興之法：電信漸次安設，小輪亦已舉行。而紳士中復有聯合公司以機器製造者，士民習見，不以爲非。臣以爲因勢利導，宜及此時因材而造就之。當於本年秋冬之間，與紳士籌商，在省設立時務學堂，講授經史掌故，法律，格致，測算等實學。額設學生一百二十人，分次考選。而延聘學兼中西，品端識卓之舉人梁啓超，候選州判李維格，爲中學西學總教習。另設分教習四人。現已開學數月，一切規模均已粗具。省城舊有求賢書院，現據改爲武備學堂，略倣天津湖北新設規制，以備將才而肄武事。

同書光緒二十四年六月甲辰條（可參清史稿肆柒零楊深秀傳：「湖南陳寶箴圖治甚急，中蜚語......」等語）略云：......深秀爲剖辨之。上以特旨褒寶箴。寶箴廼得行其志。

目今時局艱難，欲求自強之策，不得不捨舊圖新。前因中外臣工，半多墨守舊章，曾經剴切曉諭，勗以講求時務，勿蹈宋明積習。諄諄訓誡，不啻三令五申。惟是朝廷用意之所在，大小臣工恐尚未盡深悉。現在應辦一切要務，造端宏大，條目煩多，不得不裒集衆長，折衷一是。遇有交議事件，內外諸臣，務當周諮博訪，詳細討論。毋緣飾經術，附會古義，毋固執成見，隱便身圖。倘或面從心違，致令朝廷實事求是之義，愈其本旨，甚非朕所望於諸臣也。總之，中國現在病在痿痺，積弊太深，諸臣所宜力戒。即如陳寶箴，自簡任湖南巡撫以來，銳意整頓，即不免指摘紛乘。此等悠悠之口，屬在搢紳，仍隨聲附和；則是有意阻撓，不顧大局，必當予以嚴懲，斷難寬貸。當此時事孔棘，懲後懲前，深惟窮變通久之義，創辦一切，實具萬不得已之苦衷，用再明白申諭，爾諸臣其各精白乃心，力除壅蔽，上下以一誠相感，庶國是以定，治理蒸蒸日上，朕實有厚望焉。

同書光緒二十四年七月甲子條略云：

諭：陳寶箴奏：遵保人才，開單呈覽一摺：湖南候補道夏獻銘、試用道黃炳離、降調前內閣學士陳寶琛、內閣候補侍讀楊銳、禮部候補主事黃英采、刑部候補主事劉光第、廣東候補道楊樞、試用道王秉恩、江蘇試用道歐陽霖、江西試用道惲祖祈、杜俞、湖北候補道徐

同書光緒二十四年七月辛未條云：

諭：內閣侯補侍讀楊銳、刑部侯補主事劉光第、內閣侯補中書林旭、江蘇侯補知府譚嗣同，均著賞加四品卿銜，在軍機章京上行走，參預新政事宜。

同書光緒二十四年八月乙未條略云：

諭：大學士榮祿著管理兵部事務並節制北洋各軍，由禮部頒給關防。

諭：主事康有為，實為叛逆之首，現已在逃。舉人梁啟超，與康有為狼狽為奸，所著文字，語多狂謬，著一併嚴拿懲辦。康有為之弟康廣仁，及御史楊深秀、軍機章京譚嗣同、林旭、楊銳、劉光第等，實係與康有為結黨，隱圖煽惑。楊銳等每於召見時，欺蒙狂悖，密保匪人。實屬同惡相濟，罪大惡極。前經將各該犯革職，拿交刑部訊究。旋有人奏：⋯⋯若稽時日，恐有中變。朕熟思審處，該犯等情節較重，難逃法網。倘語多牽涉，恐致株累。是以未俟覆奏，於昨日諭令⋯⋯將該犯等即行正法。

家幹、江蘇侯補道柯逢時，湖北試用道薛華培、侯補道左孝同⋯⋯以上各員，在京者著各該衙門傳知該員，預備召見。其餘均由各該督撫飭知來京，一體預備召見。

同書光緒廿四年八月辛丑條略云：

諭：湖南巡撫陳寶箴，以封疆大吏，濫保匪人，實屬有負委任。陳寶箴著即行革職，永不

同書光緒廿四年八月甲辰條云：

諭：陳寶箴昨已革職永不敘用。榮祿曾經保薦，茲據自請處分，……榮祿，著交部議處。

同書光緒廿四年八月丁未條略云：

〔懿旨〕現在時事艱難，以練兵爲第一要務，是以特簡榮祿爲欽差大臣，所有提督宋慶所部毅軍、提督董福祥所部甘軍，提督聶士成所部武毅軍、候補侍郎袁世凱所部新建陸軍，以及北洋各軍，悉歸榮祿節制，以一事權。

同書光緒二十四年九月辛亥條云：

諭：吏部奏遵議處分一摺，大學士榮祿應得降二級調用處分。著加恩改爲降二級留任。

寅恪案，綜合上列資料，先祖關於戊戌政變始末，可以概見矣。蓋先祖以爲中國之大，非一時能悉改變，故欲先以湘省爲全國之模楷，至若全國改革，則必以中央政府爲領導。當時中央政權實屬於那拉后，如那拉后不欲變更舊制，光緒帝既無權力，更激起母子間之衝突，大局遂不可收拾矣。那拉后所信任者爲榮祿，榮祿素重先祖，又聞曾保舉先君。但其時先君摯友李木齋丈盛鐸在榮祿幕府，慈禧外紀言及此事，寅恪昔舉以詢先君，先君答言不知。又聞湖南文史館所輯參考資料中皮鹿門丈（錫瑞）日記，謂當時館禧外紀所言，或非無因。（西人Backhouse所著慈

中學正張公百熙保薦二人，首為康南海，次即先君。但先君於光緒二十三年丁酉十二月丁先祖母憂，依例丁憂人員不列保薦，故張公薦劄未列先君之名。榮祿之薦先君，不見於公牘，或亦此故歟？先君苟入京者，當與四章京同及於難。可謂不幸中之大幸矣。）先祖之意欲通過榮祿，勸引那拉后亦贊成改革，故推夙行西制而為那拉后所喜之張南皮入軍機。首薦楊叔嶠（銳），為此計劃之先導也。觀黃尚毅所記，知南皮與榮祿本無交誼，而先祖與榮祿之關係，則不相同也。當政變後，都中盛傳先祖必受發往新疆之嚴譴，如李端棻奏保康有為及譚嗣同之例（見東華錄光緒二十四年八月庚子條）。然止於革職永不敘用之薄懲，實由榮祿及王元和碰頭乞請所致也。

先祖先君革職，歸寓南昌，不久，先君逝世，先君移居金陵，以詩歌自遣。光緒二十九年癸卯，以次年為慈禧七十壽辰，戊戌黨人除康梁外，皆復原官，但先君始終無意仕進，未幾袁世凱入軍機，其意以為廢光緒之舉既不能成，若慈禧先逝，而光緒尚存者，身將及禍。故一方面贊成君主立憲，欲他日自任內閣首相，而光緒帝僅如英君主之止有空名。一方面黨人之舊怨。職是之故，立憲之說興，當日盛流如張謇鄭孝胥皆贊佐其說，獨先君窺見袁氏之隱，不附和立憲之說。是時江西巡撫吳重憙致電政府，謂素號維新之陳主政，亦以為立憲可緩辦。又當時資政院初設，先君已被舉為議員，亦推卻不就也。袁氏知先君摯友署直隸布政使毛

實君丈（慶蕃），署保定府知府羅順循丈（正鈞）及吳長慶提督子彥復丈（保初），依項城黨直隸總督楊士驤寓天津，皆令其電邀先君北遊。先君復電謂與故舊聚談，固所樂為，但絕不入帝城。非先得三君誓言，決不啟行。三君遂復電謂止限於舊交之晤談，不涉他事。故先君至保定後，（可參散原精舍詩卷下「光緒三十二年丙午」四月下旬至保定。越閏月二日實君布政兄譔集蓮花池」及「贈順循」詩。）至天津，歸途復過保定，（可參同書同卷「保定別實君順循，三日至漢口登江舟望月」詩。）遂南還金陵也。

〔附〕寒柳堂記夢未定稿

二〇五

寒柳堂記夢未定稿（補）

謹按：寒柳堂記夢未定稿在蔣天樞教授編定之先師遺著寒柳堂集（陳寅恪文集之一，上海古籍出版社一九八〇年版）附錄中已發表一部分，計共四篇（見上海古籍版寒柳堂集一六三至一八二頁，本書一八三至二〇五頁，以下簡稱「蔣本」）。前有蔣先生於一九七九年十二月所寫按語，略云：

寒柳堂記夢未定稿原共七章，一九六五年夏至一九六六年春間所寫，為先師最後之作。曾由助教黃萱繕寫謄清稿兩份，大都在混亂中佚失，迄今僅存零星殘稿，計：（一）「吾家先世中醫之學」，全。（二）「清季士大夫清流濁流之分野及其興替」，僅存本章之前半部。（六）「戊戌政變與先祖先君之關係」，全，所缺引文亦補齊。（中略）茲將殘文併全文目錄，附印於寒柳堂集之末。

在按語後之全文目錄中，其（三）「孝欽后最惡清流」；（四）「吾家與豐潤之關係」；（五）「自光緒十年三月至二十年十一月間清室中央政治之腐敗」及（七）「關於寅恪之婚姻」四篇，皆

注「佚」。一九八七年，先師哲嗣陳美延師妹從中山大學落實政策辦公室收回在「文革」初期被強索去的寒柳堂記夢未定稿之另一稿本（以下簡稱「新稿本」），其內容較「蔣本」所收之殘稿頗有增益，約達七千餘字；而將「蔣本」中有關黃秋岳花隨人聖庵摭憶之記述全部刪去，亦近千字，末署：「一九六六年六月二十三日端午，寅恪書於廣州康樂中山大學東南區一號樓上，時年七十六。」則此「新稿本」之最後修訂以成今日所存之形式，自當在「蔣本」之後。

此兩本之目錄及篇章編號，彼此不甚一致。「蔣本」目錄中共有八篇，以「弁言」為篇首，不編號，下分七章，其篇目及編號見本書一八四頁。「新稿本」之目錄則共為七篇，以「弁言」為第（一）篇；「蔣本」（一）、（二）、（三）章之篇目在「新稿本」中則為（二）、（三）、（四），而「蔣本」中之（四）「吾家與豐潤之關係」則不見於「新稿本」。於是此以下之（五）、（六）、（七）三章，兩本又全同。據美延師妹不久前（今年八月十日及十九日）來函，及黃萱先生八月十八日函所云，先師此遺稿之定本（當時由黃萱先生用方格稿紙謄清抄正者）目錄與「蔣本」同，「新稿本」之目錄則為先師母之手跡，為後來改定原目後所另寫者，疑此「新稿本」係「文革」初期，於「造反派」限期迫交情況下，曾經先師匆促刪節，抽出第（二）章「清季士大夫清流濁流之分野及其興替」中頗大一部分（與黃秋岳所記述史事有關者）刪除之；更將第

(四)章「吾家與豐潤之關係」及第(五)章「自光緒十年三月至二十年十一月間清室中央政治之腐敗」全部刪去,而保留第(五)章之篇名,却將第(四)章之後半劃與第(五)章之數,借以應付「造反派」之檢查,而免生枝節也。或於交出後,復又失去若干內容。蓋此章之數,借以應付「造反派」之檢查,而免生枝節也。或於交出後,復又失去若干內容。蓋此「新稿本」收回時,已被人與其他四篇文章合訂為一册,而此合訂本中其他各篇均保持查抄時原裝釘,惟獨此「新稿本」則為拆除原裝釘綫重新組裝者。關於內容,上述黃萱先生函云:

該稿共七章,已完全寫就,並令我謄清一份。其後再經修改或刪去,均由師母手筆寫成,我未曾再見過。(中略)現存的稿子,我認為是初稿,因為我記得當時陳師的初稿都是用很粗的直行紙錄下來的,而謄清稿則用方格的稿紙抄。因刪掉第(四)章「吾家與豐潤之關係」一篇及引用黃秋岳書的引文,第(四)章及第(五)章界限好像分不清,與原本不一樣。

據此,並認真對照兩本異同之後,僅依以下原則及方法進行整理:

一、原則:

甲、以「蔣本」為基礎,「蔣本」原有,而為「新稿本」所刪改者,全依「蔣本」保留之,蓋「新稿本」所刪,主要為引用黃秋岳書中搜集之史料與評述,以及先師對之所作的某些駁議,其全被刪去,乃迫於當時之不正常環境,非出先師本意。黃萱先生函中亦云:「陳師對於

黃秋岳的撝憶備極讚賞，他説：「秋岳雖坐漢奸罪死，不當以人廢言。」係屬實情，適憶於一九四七至一九四八年間從先師習作中國近代史方面學位論文時，先師即有此論，並云：「為弄清史事真相，什麼材料都可用，只看你會不會用。」「假中有真，真中摻假之史料，隨處都有，要在善於鑒別。」

二、各篇章之整理辦法：

甲、目錄及各篇章之標號概依「蔣本」，尤其在已確知全文八篇七章皆已完成而又缺佚，「新稿本」在不正常情況下刪改篇目以應付困難環境的情況後，更應如此。

乙、「弁言」及（一）「吾家先世中醫之學」二篇，兩本內容一致，不再引錄原文，只作校勘記。

丙、（二）「清季士大夫清流濁流之分野及其興替」一章，「蔣本」按語云：「僅存前半部。」而於此篇之末又有按語云：「此章殘稿係從另一册初稿中錄出。此章未完，以下缺。」據此可知，「蔣本」所據，實有二源。黃萱先生估計：「（前略）此殘稿有可能是現存稿件（適按：指

丙、「新稿本」有而「蔣本」無者，在核實存真，保持先師本意，復原在不正常情況下被迫刪改之文字後，全文照錄，補入之。

丙、「蔣本」之誤字、漏字，作校勘記。

乙、凡兩本同有的內容，不再照錄原文，以免與已出版之「蔣本」重複，只以「新稿本」校訂「蔣本」之誤字、漏字，作校勘記。

「新稿本」）中刪下來的一部分。「新稿本」於此章後半部有千餘字的記載為「蔣本」所無，而前半部亦較「蔣本」增百餘字。今將引錄「蔣本」所無部分，其「蔣本」已有者，不再錄原文，只以「新稿本」校訂之，寫出校勘記。

丁、「蔣本」目錄之（三）「孝欽后最惡清流」（「新稿本」在「孝欽后」前多「前清」二字）約四千餘字（亦仍有缺佚，考見後文），與（七）「關於寅恪之婚姻」六百餘字皆為「蔣本」所全缺。今將全文引錄以增補之。

戊、「蔣本」目錄之（四）「吾家與豐潤之關係」已佚。「新稿本」無此，今仍缺佚。

己、兩本之（五）「自光緒十年三月至二十年十一月間清室中央政治之腐敗」一章，「蔣本」有目無文，注「佚」。「新稿本」則於（四）「前清孝欽后最惡清流」篇中插入此第（五）篇之標題，而又有漏字、倒文，標題位置也不在分段落處，而且是添置於首行之外，標題後之內容又與標題所應包涵之範圍大不相稱；字跡亦異，而且潦草，顯係後加。似是被迫交出前已抽去，而倉促於第（四）章中插入第（五）章之標題，以資彌縫，借以應付查詢者。故此條標題之插入第（四）章者，應刪，而於目錄中注明「佚」。

庚、兩本之（六）「戊戌政變與先祖先君之關係」一章，「蔣本」按語云：「全，所缺引文亦補齊。」今對照「新稿本」，又可增七百餘字，主要集中於兩處，現予引錄，以補「蔣本」所缺。

至引文，先師如稱「略云」，必是節引，且一般不加略號。「蔣本」視為缺引之文，而予補齊，自亦無妨，今皆保留，不予刪。今以「新稿本」中引文與「蔣本」對校，可知「新稿本」所略而為「蔣本」所「補齊」之引文，共達一千一百餘字，但「新稿本」有，而為「蔣本」所缺漏之引文，亦仍有六十餘字，謹皆補入。

總之，據美延師妹見告，此「新稿本」曾於「文革」初期非正常情況下被迫交與「造反派」羣眾組織，以後輾轉入於中山大學歷史系，終於在二十年後，始重歸家屬手中。囑為整理，以待他日問世之機緣，此自受業義所當為。經仔細對校兩本異同，以及先師當時處境，慎重考慮，力求符合先師本意，於背景已明之後，敬謹擬定整理之原則與辦法如上。凡已見於「蔣本」者，此皆略，其以「新稿本」增補或訂正「蔣本」者，皆照錄，並注明在「蔣本」中的前後文銜接字句。

根據上述之認識與想法，謹仍以先師昔日所手定、為「蔣本」所遵用之寒柳堂記夢未定稿為標題，而於後加一（補）字，以示與「蔣本」之間的連續性。其仍缺佚部分，只得暫置，以俟來日。

一九九〇年八月及門劉適（石泉）謹識

目 錄

弁 言（校勘記）

弁　言（校勘記）

（一）吾家先世中醫之學（校勘記）

（二）清季士大夫清流濁流之分野及其興替（部分增補及校勘記）

（三）孝欽后最惡清流（全文增補）

（四）吾家與豐潤之關係（佚）

（五）自光緒十年三月至二十年十一月間清室中央政治之腐敗（佚）

（六）戊戌政變與先祖先君之關係（局部增補及校勘記）

（七）關於寅恪之婚姻（全文增補）

弁言〔校勘記〕

（原文依「蔣本」，見本書一八五——八八頁。今不照錄，僅據「新稿本」作校勘記如下。頁數、行數皆依「蔣本」。下同，不另作說明。）

第一八五頁，第六行：「內子唐瑩」。「瑩」當作「篔」。

(一)吾家先世中醫之學（校勘記）

第一八六頁，第四行：「四庫全書總目提要壹肆零……」。「零」當作「拾」。先師引書，列卷數，向用大寫數字，凡今用「〇」或「零」字，例皆用「拾」字。

第一八六頁，倒第一行：「俱不署斷語」。「署」當作「置」。

第一八七頁，第四行：「劉全美作字說偏旁釋一卷」。「釋」前脫「音」字。

第一八七頁，第六行：「尤其談言微中」。「尤」與「其」之間脫「宜」字。

第一八七頁，第十一行：「排除恩怨毀譽務求一持平之論斷」。「譽」字後，脫逗號。

第一八八頁，第二行：「後雖復官」。應為「後雖復原官」。

第一八八頁，第二行：「然以吏能廉潔及氣節文章頗負重名於當代」。「……氣節文章」後，脫逗號。

(二)清季士大夫清流濁流之分野及其興替（補文及校勘記）

「蔣本」之本篇開首二句為：「清代同光朝士大夫有清流濁流之分，黃秋岳花隨人聖庵摭憶

論之詳矣。」(見本書第一九〇頁,倒第二行。)「新稿本」首句同。其下文則增補一段史料,並相應地對第二句稍作調整。其文云:

清代同、光朝士大夫有清流、濁流之分,惲薇生毓鼎崇陵傳信錄已略論之。黃秋岳濬花隨人聖盦(適按:同「庵」字)撅憶言之更詳。茲先錄薇生之書於下,其文云:

光緒初年,兩宮勵精圖治,彌重視言路。會俄人逾盟,盈廷論和戰。惠陵大禮議起,一時棱棱具風骨者,咸有以自見,吳縣潘祖蔭、宗室寶廷、南皮張之洞、豐潤張佩綸、瑞安黃體芳、閩縣陳寶琛、吳橋劉恩溥、鎮平鄧承修,尤激昂喜言事,號曰清流,而高陽李文正公(鴻藻)當國,實為之魁。

然後下文(另起段)接「蔣本」所云:「黃氏書所論迄於光緒中晚,……」直至「蔣本」本篇之末所云:「……按散老此電,乙未五月十七日由武昌發,戌刻至江寧者。(頁二一四)」(見本書第一九三頁倒三行至一九三頁倒二行)。以下即進入後半部,全為「蔣本」所闕,而在「新稿本」中保存者。文云:

吳漁川（永）庚子西狩叢談談肆略云：

公自北洋罷任（寅恪案：「公」指李鴻章），以總理各國事務大臣，久居散地，終歲僦居賢良寺。翁常熟當國，尤百計齮齕之。公益不喜接客，來者十九報謝，因而門戶亦甚冷落。公意殆不能無鬱鬱。嘗自謂：予少年科第，壯年戎馬，中年封疆，晚年洋務，一路扶搖，遭遇不爲不幸。自問亦未有何等隕越。乃何端發生中日交涉，至一生事業掃地無餘！如歐陽公所言，半生名節被後生輩描畫都盡。環境所迫，無可如何。又曰：我辦了一輩子的事，練兵也，海軍也，都是紙糊的老虎，何嘗能實在放手辦理？不過勉强塗飾，虛有其表；不揭破，就可敷衍一時。如一間破屋，由裱糊匠東補西貼，居然成一淨室。雖明知爲紙片糊裱，然究竟裏面是何等材料，即有小小風雨，打成幾個窟窿，隨時補葺，亦可支吾對付。乃必欲爽手扯破，又未預備何種修葺材料，何種改造方式，自然真相破露，不可收拾。但裱糊匠又何術行能負其責？

寅恪案：漁川之書可與秋岳之論相印證，但秋岳之論仍有未盡。蓋當馬關和約成後，凡愛國之人，有是非之心者，無不反對，與先君之「風采踔發、物望所歸」無關。況先君摯友，姻親中梁星海丈（鼎芬）則以劾合肥罷職，文芸閣丈（廷式）則在京為主戰派之重要人物，並是力攻合肥之人，易實甫丈（順鼎）及先舅父俞恪士（明震）則皆在臺灣，助臺獨立者。蓋其時愛國之人認為政府雖已

割臺,而人民猶可不奉旨,如後來庚子歲東南諸督撫不遵朝命殺害外僑之比。復次,先祖撫湘,多用湘人辦湘事。當時,先君友人中有欲側身礦務局,不能如願,遂懷怨望者。光緒二十五年中,先祖、先君罷職後,歸寓南昌磨子巷。忽接一函,收信人為「前湘撫陳」。寄信人不書姓名,唯作「湘垣緘」。字體工整。啟視之,則為維新夢章回體小說之題目一紙,別附七絕數首。其中一段後二句云:「翩翩濁世佳公子,不學平原學太原。」乃用史記平原君傳及新舊唐書太宗紀。先母俞麟洲明詩夫人覽之,笑曰:「此二句卻佳。」當戊戌時,湘人反對新政者,謠喙百端,謂先祖將起兵,以燒貢院為號,自稱湘南王。寓南昌時,後有人遺先君以劉伯溫燒餅歌鈔本一冊,以其中有「中有異人自楚歸」句,及「六一人不識,山水倒相逢」,暗藏「三立」二字語。綜合此數事,附錄於此,以資談助。

散原精舍詩上「得叔澥安慶郵書稱吳摯父京卿歿於桐城里居,次前韻哭之,並寄叔澥」云:

耽吟酬句無朝暮,指點江城角雨雄。
那料和鳴一鳥去,直教行哭九夷同。
文章後世卿云顯,師友當前孔老通。
活國新編猶照眼,瞳矓爭睹日生東。

寅恪謹按:江丈瀚字叔澥,時居安徽縣聶仲芳巡撫(緝槼)幕中,故先得桐城逝世之訊。桐城時受任京師大學堂總教習,尚未赴任也。活國新編者,指桐城東遊日本、考察教育後,所撰之東遊叢錄一書而言。今附錄先君此詩,以見吾家與吳桐城固有文章氣類之雅也。

(三) 孝欽后最惡清流（補文及校勘記）

此篇為「蔣本」所缺，今據「新稿本」補入。由於本篇補文中有一部分或大部分內容應屬於第（五）章，即自「光緒十年三月至二十年十一月間清室中央政治之腐敗」一篇的問題，對此，將於補文後面的校勘記中，作出具體的考釋、鑒定。

照錄補文：

本篇校勘記：

第一九一頁，倒第四行：「自同治至光緒末年，京官以恭親王奕訢李鴻藻陳寶琛……等為清流」。「……李鴻藻」之後，「陳寶琛……」之前，加「翁同龢」。

第一九一頁，倒第三行：「至光緒迄清之亡」「光緒」後加「末」字。

第一九二頁，第四行：「康熙諸主……」。應為「康、乾諸主……」。

清咸豐之季年，太平天國及其同盟軍縱橫於江淮區域。英法聯軍攻陷北京，文宗走避熱河，實與元末庚申帝之情事相類。然以國內外錯綜複雜之因素，清室遂得苟延其將斷之國祚者五十

年。凡此五十年間政治中心，則在文宗孝欽顯皇后那拉氏一人。（寅恪十餘歲時，曾見日本人所著書，言后小名阿翠。曾樸孽海花亦有是說，但無從證實，姑附記於此。）故述清代同光兩朝及宣統朝之史者，必以那拉后爲主要之題材，自無待論也。綜觀那拉后一生之行事，約有數端：一，爲把持政權，不以姪嗣穆宗，而以弟承大統。后取本身之姪女強配德宗，釀成後來戊戌、庚子之事變。二，爲重用出自湘軍系統之淮軍，以牽制湘軍，遂啓北洋軍閥之一派，塗炭生靈者二十年。三，爲違反祖制，信任閹宦，遂令晚清政治腐敗更甚。四，爲縱情娛樂，修築園囿，移用海軍經費，致有甲午之敗。五，爲分化漢人，復就漢人清、濁兩派中，揚濁抑清，變本加厲，終激起漢人排滿復仇之觀念。陳石遺丈（衍）石遺室詩話柒有一節，頗可與第五點相印證，茲錄之於下。其文云：

清末重用滿人，以謀中央集權。舉軍機處、海陸軍、財政、外交諸重任，均以皇宗親貴掌之。時事既日非，言官中若趙啓霖、江春霖、胡思敬、趙熙、陳田數人，皆直言極諫，先後罷斥引退，相繼去。方慶王奕劻將引其黨某某爲軍機大臣（寅恪案：「某」指陳筱石文夔龍」），江春霖疏糾參。疏上，逐回原衙門行走，云「書壁會當思魯直，裂麻竟不相延齡。陔餘尚有酬恩地，勤與鄉鄰講孝經」。時以某爲軍機大臣，亦罷論也。張（亨嘉）鐵詩送者甚衆，以陳弢庵七律後二聯用事爲最切，云「書壁會當思魯直，裂麻竟不相延齡。陔餘尚有酬恩地，勤與鄉鄰講孝經」。

君云:「白日黃鹿車擊軹,東門出祖江御史。纖兒撞壞好家居,誰司言職吾當恥」。余云:「四海爭傳真御史,九重命作老翰林。」蓋未須下斷語也。因憶韓東(寅恪案:「韓東」,順德羅敦曇之字)有送趙芷孫御史(啓霖)句云:「此後臺中望江、趙(寅恪案:「江」指江杏村春霖。「趙」指趙堯生「熙」)未應料理五湖船。」芷孫去時,漱唐未入臺(寅恪案:「漱唐」,胡思敬之字),尚有江、趙。江去時,漱唐(鄭)蘇堪(孝胥)句云:「臺中閱道應無羞。」(寅恪案:宋趙諡字閱道,故海藏以之目香宋也。)則僅有趙矣。

寅恪案:同光時代士大夫之清流,大抵為少年科第,不諳地方實情及國際形勢,務為高論。由今觀之,其不當不實之處頗多。但其所言,實中孝欽后之所忌。卒黜之殺之而後已。若斯之類,其例頗多,不遑枚舉。茲僅就黃秋岳書所論寶廷、張佩綸二人之始末,而加以補充糾正,亦可見一斑矣。總而言之,清流士大夫,雖較清廉,然殊無才實。濁流之士大夫略具才實,然甚貪污。其中固有例外,但以此原則衡清季數十年人事世變,雖不中亦不遠也。文芸閣丈(廷式)純常子枝語玖云:

以電奏歸總理各國事務衙門代奏,而總署之權過於明之通政使矣。通政使之權止於壓閣一二日,而總署則竟可不奏也。以兵事歸總理衙門電寄,而總署之權過於明之本兵矣。明之本兵,不過制各軍之進退,而總署之權,則兼其炮之放否,船之行否,而亦制之,且能與

聞其飭事也。而且總署之用財,非戶部所能知(原注:「兼海軍言」)。總署之保案,非吏部所能核。紊職分,而敗國家,究亦未得一真通交涉之才爲可嘆也。(原注:「余甲午有一疏,請明職分,即指總署而言。」)

續碑傳集吳汝綸撰文華殿大學士直隸總督贈太傅一等侯李文忠公墓誌銘略云:

〔公〕專力外事,在直隸最久,於外國政、學、制、法、兵備、財用、工商藝業,無一不究討,皆導國使猛進,與歐美強國競盛。以財權不屬,人才不興,卒牽於異議,靳饋餫不予,使不能竟所施爲。而西人顧交口稱頌,謂爲東方俾士馬克。公既盡心防禦,顧持重不欲開兵釁。待遇外國客,能時其剛柔張弛,使來說者自失本謀。公威望久,所至禮遇逾等。國家每與外國生隙,公輒用計謀消弭之。甲午日本操兵,師既敗,朝廷命公往日本議和。遇刺不死,卒定和而還。未幾,命公歷聘歐美諸國。諸國人聞公威望久,所至禮遇逾等。公薨以二十七年九月二十七日,壽七十有九。公諱鴻章,字少荃。道光丁未翰林。祖以上皆不仕。父文安,進士,刑部郎中。

總署之權限既如上述,則合肥於光緒十年甲申對內對外之關係,可以下列幾點解釋之。

一,以慈禧之意旨為決定。(見李文忠公(鴻章)全集朋僚函稿二十,光緒十一年五月初五日復岑彥卿(毓英)宮保云:

「此次議款之速,實因桂滇各軍潰退,越事已無可爲,法提督調集兵船,欲攻奪臺灣雞籠煤礦,福州船廠,接濟煤械,爲持久索費計。正慮兵連禍結,中旨密令鄙人維持和局,乃敢冒不韙以成議」等語。

二,要速和。(見同書同卷,光緒十年六月初六日復張樵野(蔭桓)京卿略云:

「法事確定,不意又起波瀾。馬尾船廠危於累卵,幼樵屢電,尚盛稱軍威,亦不自量之甚矣。總之,和局翻一回,更壞一回。求如前約之粗疏,而不可矣。」

三,縮小戰爭範圍。(見同書同卷,光緒九年十二月十二日復翁叔平(同龢)宮保云:

「越事之興,尚冀迎刃而解,息事寧人。今則局勢屢更,彼此皆騎虎難下,自不得不堅持以待機會。若僅在越地鏖兵,利鈍無甚關係。波及內地,則有各省強弱不齊,民窮財匱,實大可虞。幼樵英銳無比。叩以將來結局若何,固亦茫無把握。我公憂國如家,知必長慮却顧也。」)

四,北洋不能派兵援閩。(見同書電稿三,光緒十一年六月初二日巳刻,寄兩廣、閩浙督撫云:

「頃間,接總署來電:初一日奉旨:疊據何璟、張佩綸等電報,法全力注閩,已進八艘,請飭援應牽制等語。孤拔赴閩,有欲據地爲質之説,南北洋覆稱無船可撥。惟閩防緊急,粵、浙相距較近,着彭玉麟、張樹聲、張之洞、倪文蔚、劉秉璋酌撥師船前往,設法援應

及同書同卷，光緒十年六月十六日辰刻寄閩防張（佩綸）會辦云：

「現因旅順西嶺添築土臺，將威、鎮海礮全移置，皆改運船。超〔勇〕、揚〔威〕衝船出入口內外，備與黃金山礮臺夾擊，萬不能撥。非不愛公，非分畛域，諒之。」

牽制，欽此。即轉電閩浙粵等因。……」）

五，不可先開礮。（見同書電稿二，光緒十年閏五月二十七日酉刻到會辦閩防張（佩綸）學士云：

「二十八，三點鐘限期已滿，法船必大進。領事言：如不肯以船廠作押，我若攔阻，彼必開炮，則決裂。若不阻，彼亦不能先開礮。或尚可講解。望相機辦理，切勿躁急。公屯馬尾，非計。」）

綜合上引材料觀之，合肥自同治元年至光緒二十七年，凡歷四十年，專辦洋務，故外人竟以合肥為中國之代表，亦自有理由。夫淮軍之興起，本出於那拉后欲藉此以分化牽制湘軍，特加倚重。曾、左之流，雖亦不能不稍稍敷衍，然其親密之程度，則湘軍之元勳，遠不及淮軍之主將。吾人今日平情論之，合肥之於外國情事，固略勝當時科舉出身之清流，但終屬一知半解，往往為外人所欺紿。即就法越一役言之，合肥若果能深通外情者，則中國應得較勝之結局也。

至於合肥對豐潤之關係，既以豐潤為不知兵，（曾樸孽海花為合肥女菊偶偽作七律二首，其第

貳首第一聯下句「殺敵書生紙上兵」即是此意。趙竺桓炳麟柏岩感舊詩話壹竟認此詩真為合肥女所作，可笑也。）又不奏請免其守閩之責，唯誠以不先開礮，更不遣北洋軍艦往援。迨馬江戰敗，豐潤因之成邊。是豐潤無負於合肥，而合肥有負於豐潤，宜乎合肥內心慚疚，而以愛女配之。豈即三國志演義所謂「賠了夫人又折兵」者耶？

光緒朝東華錄光緒十年八月辛丑條略云：都察院代遞翰林院編修潘炳年摺稱：（寅恪案：清朝進士題名碑：潘炳年，同治十年辛未科進士，翰林，福建長樂人。）

臣等於馬江敗後，迭接閩信，俱言張佩綸何如璋聞警逃竄。茲恭讀八月初一日諭旨，方審該大臣前後奏報種種虛捏，與臣等所接閩信，判若歧異。張佩綸、何如璋聞礮聲，即從船局後山潛逃。是日大雷雨，張佩綸先而奔，中途有親兵曳之行。抵鼓山麓，鄉人拒不納，匿禪寺下院，距船廠二十餘里。次日抵鼓山之彭田鄉。適有廷寄到。督撫覓張佩綸不得，遣弁四探，報者賞錢一千，遂得之。何如璋奔快安施氏祠，鄉人焚逐之，黃夜投洋行宿。晨入城，棲兩廣會館。市人又逐之。後踉蹌出就張佩綸於彭田鄉。偵知敵出攻長門，將謀竄出，始回。此張佩綸、何如璋狼狽出奔之情形也。兵無主帥，餉無專責，議者固知閩事之必敗也。所恃為長城而無恐者，以張佩綸平日侈談兵事，際此中外戰局伊始，身膺特簡，臨事必有把握。〔張佩綸〕

到閩後,一味驕倨。督撫畏其氣焰,事之維謹,排日上謁,直如衙參,竟未籌及防務。至法船駛入馬尾,倉促乃以入告。迨各將請戰,又以奉旨禁勿先發爲詞,身爲將帥,足未登於輪船,聚十一艘於馬江,環以自衛。各輪船管駕,疊陳連艦之非,張佩綸斥之。白開戰之信,張佩綸又斥之。事急而乞緩師於敵,如國體何?開礮而先狂竄,如軍令何?中歧即馬尾,彭田即鼓山後麓。張佩綸自諱其走,欲混爲一,如地勢迥隔何?敵攻馬尾,張佩綸於是日始竄彭田,而冒稱力守船廠,如不能掩人耳目何?且何如璋實匿戰書,張佩綸與之同處,知耶?不知耶?臣等不能爲張佩綸解也。臣聞張佩綸敗匿彭田,以請旨逮問爲詞,實則置身事外,證以外間風聞,張佩綸所恃爲粵援之人,私電函致,有「閩船可燬,閩廠可燬,豐潤學士必不可死」之語。是則張佩綸早存不死之心,無怪乎調度乖謬於先,聞戰脫逃於後,敢肆無忌憚如此也。何如璋實督船政,旦夕謀遁,藉名採辦,私行兌粵,聞於船政局存銀二十六萬,藉名採辦,棄廠擅走,已有罪矣。而謀匿戰書,意尤叵測。後於六月一日將船政局存銀二十六萬,羣議其盜國帑,言非無因。張佩綸凤以搏擊爲名,應所員紳,而私交旗昌,匯豐各洋行。事後並無一疏之劾,謂非狼狽相依,朋謀罔上,臣等所不敢信。若不嚴何如璋荒謬至此,事後並無一疏之劾,謂非狼狽相依,朋謀罔上,臣等所不敢信。若不嚴予懲辦,何以謝死事二千餘人?何以儆沿海七省之將帥?何以服唐炯、徐延旭之心?何以塞泰西揶揄之口?臣等既有所聞,理合據實公揭。謹繪圖貼說,黏附呈進軍機處,恭候御覽。

清德宗景皇帝實錄壹玖壹,光緒十年甲申八月戊寅條略云:

昨據編修潘炳年等奏:張佩綸等僨事情形,請旨查辦,復諭令左宗棠、楊昌濬秉公查辦。茲又有人奏,馬尾一役,諸臣諱敗捏奏,濫保徇私,請將督撫治罪,並將方勳等保案撤銷;何如璋故匿戰書,私兌該局銀兩回粵;沈保靖、程起鵬朋謀營私,貪劣情形,請飭查參。各摺片,着左宗棠、楊昌濬歸入前次各摺,一併查明具奏。如果似此捏報戰狀,徇私妄為,亟應嚴行懲儆。左宗棠等務當一秉大公,持平辦理,不得偏徇。

光緒朝東華錄光緒十二月戊戌條略云:

諭:前據都察院代遞翰林院編修潘炳年奏,張佩綸等僨事情形,給事中萬培因奏,(寅恪案,清朝進士題名碑:萬培因咸豐九年己未科進士。福建崇安人。)張佩綸等諱敗捏奏,濫保徇私。迭諭左宗棠楊昌濬查辦。茲據左宗棠等查明具奏,張佩綸尚無棄師潛逃情事,惟調度乖方,以致師船被毀。且該員於七月初一日接奉電寄諭旨令其備戰,初二日何璟告以所聞,謂明日法人將乘大潮力攻馬尾,該革員並不嚴行戒備。迨初二日敗退,有初三日往來彭田馬尾之間,十五日始回船廠。其奏報失事情形摺內,輒謂預飭各船管駕,以日法必妄動之語,掩飾取巧,厥咎尤重。張佩綸前因濫保徐延旭等,降旨革職。左宗棠等所擬請交部議處,殊覺事重罰輕,著從重發往軍臺效力贖罪。何如璋被參乘危盜帑,查無

清史稿壹肆貳兵志柒海軍條云：

福州船廠，同治五年創於閩浙總督左宗棠，船政大臣沈葆禎。閩縣馬尾江距省會四十里，海口六十里。福州船廠自造各兵艦。始建船廠，聘工師於英，延教員於英。

清史稿肆伍拾張佩綸傳附何如璋傳云：

何如璋，字子峩，籍廣東大埔。同治七年進士，選庶吉士，授編修。以侍讀出使日本，歸授少詹事，出督船政。承〔李〕鴻章旨，狃和議。敵至，猶諭各艦毋妄動。及敗，藉口押銀出奔。所如勿納，不得已，往就佩綸鄉。佩綸慮敵蹤跡及之，給如璋出之壞，佩綸為罪魁，如璋次之。如璋亦遣戍。後卒於家。

據清廷諭旨，豐潤之得罪譴戍（一）因保薦徐延旭、唐炯。（二）因兵事調度乖方，以致馬江船廠殘毀及駐閩船艦大部沉沒。二罪相較，前者輕而後者重。故同保徐唐之滄趣，其罪止於降調，豐潤初亦不過革職。其後豐潤與何如璋同被革戍邊，則濫保匪人之罪輕，債軍之罪重，彰彰明

其事。惟以押運銀兩為詞，竟行逃避赴省，所請革職免議之處，不足蔽辜，著從重發往軍臺效力贖罪。左宗棠、楊昌濬於奉旨交查要件，自應切實詳查覆奏。乃所奏各情，語多含糊，於張佩綸等處分意存袒護開脫。軍事是非功罪，關係極重。若失事之員罰辦輕縱，何以慰死事者之心。左宗棠久資倚畀，夙負人望，何以蹈此惡習？著與楊昌濬均傳旨申飭。

甚。今觀滄趣所撰寶齋墓誌銘（見閔爾昌纂錄碑傳集補伍，陳寶琛撰清故通議大夫四五品京堂張君墓誌銘）略云：

〔法國海軍提督〕孤拔初謂船廠可唾手得，及見君有備，欲他駛。中旨則飭令勿出閩海，君累乞南北洋援船，弗應。而敵船益至，審衆寡堅脆不敵，請先發，冀一當，弗許。飭君自毀廠，勿畀敵。君執不可。（寅恪案：此事可參李文忠公全集電稿叁光緒十年六月初十日午刻寄譯署電。唯「自毀廠」一語，與合肥原電語意微有不合。）相持逾月，法兵登岸輒中伏死。始雨，猝縱礮薄我水師，九艘潛焉。而我亦壞法三船，孤拔受巨創。法兵登岸輒中伏死。衡尾毀兩岸礮臺而出。自是不復窺閩，船廠以全，而督臣方以失廠上聞，君報亦踵至。上切責督臣憒憒，既復檄調守廠軍回守省城，君訟言棄門戶，守堂奧，非計。督臣被嚴飭，益大慚恚。風閭士劾君擁兵自衛。時君已以水師失利自劾。上壯君守廠，督撫船官均褫職，獨奪君卿銜，下部議。尋命左公宗棠督閩師，君仍會辦，兼署船政大臣。執政齮君未已，則示意閩京僚，取君疏鍛練之，傳以飛語，下左公及新督楊公昌濬會按。左公廉君無過，以實復諸朝。時君已坐薦唐徐奪職，詔責左、楊袒護，謫君戍邊。方事下左公時，執政意君嘗面折左公，必懷宿憾，不爲原洗也。

寅恪案：豐潤欲出閩海追逐法艦，此乃合肥謂豐潤不知此知彼，非知兵者，所論甚當。至於左

宗棠之祖護豐潤，頗疑當時謝章鋌適在湘陰幕中，滄趣與謝氏累世交誼甚篤，湘陰之為豐潤解脫，或由滄趣之故。「閩京僚」之界說當包括王仁堪、仁東兄弟在內。澗於集書牘叁致朱子涵內弟云：

閩人構陷，明謀祕計，不可端倪。其他均不足怪，惟可莊兄弟絕交下石，有欲殺之而後甘心意，令人不解。

復次，吳漁川永庚子西狩叢談肆，述李合肥之言云：

天下事為之而後難，行之而後知。從前有許多言官，遇事彈糾，放言高論，盛名鼎鼎，後來放了外任，負到實在事責，從前芒角，立時收斂，一言不敢妄發，迨至升任封疆，則痛恨言官，更甚於人。當有極力訐我之人，向我求教者，依然踵其故步。制度如此，蓋非此不足以自見，實亦無可如何之事也。

寅恪案：合肥所謂前為言官，後為封疆，當極力訐之者，當即指南皮。合肥與漁川談論時，實明言南皮之姓名，漁川曾受南皮知遇，故其書中特為之諱耳。

本篇校勘記：

一、此篇只見於「新稿本」。「蔣本」無，故無可對校。

二、本篇之中，於文廷式純常子枝語卷玖論總署權大，及續碑傳集載吳汝綸所作李鴻章墓誌銘之後，次頁首行之前，插入標題「（五）清光緒十年至二十年十一月間中央政治之腐敗」一若由此以下之三千餘字乃為第（五）篇之內容，而前此之千餘字則屬第（四）篇。適謹按：此一標題（五）蓋非先師遺稿中原有，證據如下：（１）此標題之後，原文為：「總署之權限既如上述，則合肥於光緒十年甲申對內對外之關係，可以下列幾點解釋之：……」以下即列舉李鴻章當時處理中法戰爭之五條方針。凡此皆與標題以前之原文緊密相連。以先師為文一向結構謹嚴細密，邏輯性極強，夫豈能於此強分篇章？（２）此標題（五）以後之內容，全係與中法戰爭，尤其是與福建馬尾之水戰以及張佩綸之獲罪有關，與第（五）篇標題中反映出之中心內容（中央政治之腐敗）與時限（光緒十年十一月〔對日求和定議，即恭親王奕訢為首之全部軍機大臣被撤換之時，此後「清流」即開始失勢〕至二十年三月〔適按：即日求和定議，帝、后兩黨翻爭表面化之時〕）皆相差甚遠，幾乎全未涉及，基本上仍屬第（四）篇孝欽后最惡清流之範圍。（３）此標題不在原稿紙的行格以內，而是寫在首行之前，脫「清室」三字；題目標號之「五」字，被塗抹，改「六」，又塗去，於已被抹去之「五」字前，脫「清室」三字；題目標號之「五」字，被塗抹，改「六」，又塗去，於已被抹去之「五」字（兩本皆同）有出入：「光緒十年」前多一「清」字，後面則脫「三月」二字；「中央政治之腐敗」章標題之眉目清楚，字跡亦與正文不一致，且較潦草。此標題（五）之字句亦與目錄原文

上加恢復號「△」。凡此，皆足見此條標題（五）是後來插入的，且頗為匆促。（4）據上諸證，可推知此篇中之標題（五）蓋非原有。今刪去。原目錄中之（五）以及「蔣本」中之（四）吾家與豐潤之關係，則仍以「闕佚」論。

三、本篇之內容似仍有闕文，例如：先師於此篇案語中曾提到：「茲先就黃秋岳書所論寶廷、張佩綸二人之始末，而加以補充糾正，亦可見一斑矣。但此「新稿本」之後文，於寶廷事蹟，再未見提及。於張佩綸，亦僅詳記其於中法戰爭時，受任會辦福建軍務，於馬尾戰敗後遭受攻訐，終獲革職遣戍之嚴譴等史事，而全未述及其早歲為「清流」主將之一，名重一時，既為北派「清流」領袖李鴻藻之得力親信，又受到李鴻章之器重，在士大夫中「四諫」之首，既為權貴所側目之政治地位與作用。而此諸方面，皆適於先師指導下寫作學位論文時所曾面聆教誨者，似不致於此篇中竟無反映。頗疑此篇所存之內容亦不盡全備也。

（六）戊戌政變與先祖先君之關係（補文及校勘記）

「蔣本」按語中嘗云，本篇為全稿，其中「所缺引文亦補齊」。今以「新稿本」對校，則引文中尚應補入六十餘字。而全篇之後半部中，「新稿本」又增一段先師評述康有為之案語約二百

餘字。篇末另增補兩段文字：其一為記先師尊人散原先生晚年之幾次移居，及蘆溝橋事變後，憂憤不食，逝世於北平之概況，約百餘字。其又一為「附言」記散原先生於戊戌政變前不久，救免當時密旨拿問之帝黨骨幹文廷式（時蟄居長沙）去日本事，約三百餘字。通計共增補七百餘字，補文如下：

第一九五頁，第九、十行：「堂官許應騤懷塔布等阻格不奏」句下，應補：「二日六堂革職，大臣頗自危。」

第一九六頁，第五行：「剛〔毅〕云：有旨不准說！」句下，應補：「先生怒叱曰：爾軍機大臣銜害！」

第一九八頁，第十一行：「朱公七十餘，負榦略」句下，應補：「行賈，致巨富。」

第一九九頁，倒四行：「康有為之初召對也，即疏言其短長所在，推其疵弊。」句下，應補以下一大段：

請毀其所著曰孔子改制考（寅恪案：范肯堂撰先祖墓誌銘，謂先祖喜康有為之才，而不喜其學也。康南海輓先祖詩云：「公笑吾經學，公羊同賣餅」者，可證也。今日平心論之，井研廖季平、平及南海初期著述尚能正確說明西漢之今文學。但後來廖氏附會周禮占夢之語，南海應用

華嚴經中，古代天竺人之宇宙觀，支離怪誕，可謂「神遊太虛境」矣。至若張南皮勸學篇痛斥公羊之學為有取於孔廣森之公羊通義。其實摭約為姚鼐弟子，轉工駢文，乃其特長。而公羊通義實亦俗書，殊不足道。清代今文公羊學者唯皮錫瑞之著述最善，他家莫及也）。

第一九九頁，倒三行：「四章京雖有異才，要資望輕而視事易。」句下，刪去略號，應補：「為論薦張公之洞總大政，備顧問。」

第二〇二頁，倒五行：「前經將各該犯革職，拿交刑部訊究。」句下，應補：「（寅恪案：可參同月庚寅條。）」

第二〇四頁，第二行：「榮祿之薦先君，不見於公牘，或亦此故歟？」句下，應補：「俟考。」噫！」

第二〇五頁，「蔣本」本篇末，「新稿本」增補兩段如下：

癸亥，先母及先長兄衡恪同時病歿於金陵。家人恐先君憂傷過度，遂移家杭州。繼因杭州夏季炎熱，故遷居匡廬。不意其地遊客眾多，煩囂殊甚，頗厭苦之。時寅恪任教清華大學，乃迎養至燕。不數歲而有蘆溝橋事變。先君憂憤不食，遂以不起。故未得見抗日勝利，惜哉！痛哉！

復次,茲有可附言者,即先君救免文芸閣廷式一事。戊戌政變未發,即先祖、先君尚未革職以前之短時間,軍機處廷寄兩江總督,謂文氏當在上海一帶。又寄江西巡撫,謂文氏或在江西原籍萍鄉,迅速拿解來京。其實文丈既不在上海,又不在江西,而與其夫人同寓長沙。先君既探知密旨,以三百金贈文丈,屬其速赴上海。而先祖發令,命長沙縣緝捕。長沙縣至其家,不見蹤跡。復以為文丈在妓院宴席,遂圍妓院搜索之,亦不獲。文丈後由滬東遊日本,齎同、光朝盛流李文田、沈曾植等所定之蒙古元秘史對音本。日本那珂通世因之撰成吉思汗實錄一書,此開日本治蒙古史之先路也。先君所撰文芸閣學士同年輓詞(見散原精舍詩上)六首之四云:

三島(自注:「君嘗遊日本」),留得口中珠。

元禮終亡命,邠卿辱大儒。孰傳鐘室語,幾索酒家胡。禍與機先伏,烟濤夢自孤。光芒接東瀛也。

其第一聯上句用史記玖貳淮陰侯列傳,下句指長沙縣搜妓院事。末二句指傳播同光盛流之學於東瀛也。

本篇校勘記:

第一九四頁,倒第三行:「非得有學術通知時事大臣,……」「學術」當作「經術」,後加頓號。

第一九五頁,第四行:「先生既值樞府,德宗召見賜手詔云……」「見」字後加逗號。

第一九五頁,倒第五行:「樞臣皆慶幸」。「樞臣」「新稿本」作「諸臣」。

第一九六頁,第二行:「請派大臣會審」。「審」字後,應為句號。

第一九七頁,第二行:「宜謹密藏」。「宜謹」當為「謹宜」。

第一九七頁,第八行:「政府卒閣不行,以迄於亡」。「閣」當為「擱」。

第一九七頁,第十行:「〔光緒廿一年〕八月」。「光緒廿一年」後,脫「乙未」二字。

第一九八頁,倒第三行:「陰念湖南據天下上游」,「天下」當為「東南」。

第一九八頁,倒第五行:「獨為府君出。」「獨」字後,加「勉」字。

第一九九頁,第四行:「復以學堂教習與康有為連」,「康有為」前,加「主事」二字。

第一九九頁,第九行:「在省設立時務學堂」,「省」字後,加「會」字。

第二〇〇頁,第九、十行:「講授經史掌故,法律,格致,測算等實學。」「法律」前,去逗號加「與」字。

第二〇〇頁,倒第二行:「湖南陳寶箴……」「湖南」後,加「巡撫」。

第二〇〇頁,倒第二行:「可參清史稿肆柒零楊深秀傳……」「肆柒零」改為「肆柒拾」。

第二〇一頁,第一行:「目今時局艱難」,「目今」前加「諭」字。

第二〇一頁，第八行：「仍隨聲附和」，「仍」字前，加「倘」字。

第二〇四頁，第三行：「可謂不幸中之大幸矣」，「新稿本」無「大」字。

第二〇四頁，第三行：「先祖之意欲通過榮祿」，「意」字後有逗號。

第二〇四頁，第八行：「實由榮祿及王元和碰頭乞請所致也」。「王元和」為「王仁和」(即王文韶)之誤。

(七)關於寅恪之婚姻(補文)

寅恪少時，自揣能力薄弱，復體屢多病，深恐累及他人，故遊學東西，年至壯歲，尚未婚娶。先君先母雖累加催促，然未敢承命也。後來由德還國，應清華大學之聘。其時先母已逝世。先君屬聲曰：「爾若不娶，吾即代爾聘定。」寅恪乃請稍緩。先君許之。乃至清華，同事中偶語及：「見一女教師壁懸一詩幅，末署『南注生』」。寅恪驚曰：「此人必灌陽唐公景崧之孫女也。」蓋寅恪曾讀唐公請纓日記。又親友當馬關中日和約割臺灣於日本時，多在臺佐唐公獨立，故其家世，知之尤諗。因冒昧造訪。未幾，遂定偕老之約。茲錄唐公原詩，並寅恪和詩於後。唐公詩云：

蒼昊沉沉忽霽顏，春光依舊媚湖山。補天萬手忙如許，蓮蕩樓臺鎮日閒。(寅恪案：唐公

歸來後，家居桂林之環湖邊，故云蓮蕩。光緒戊戌春間，全國競言改革，公自傷閒居，無緣補天也。）

盈箱縑素偶然開，任手塗鴉負麝煤。一管書生無用筆，舊曾投去又收回。

為人作書，口占二絕。冬陰已久，立春忽晴，亦快事也。南注生。

寅恪詩云：

南注公詩幅藏之有年，旅居香港時，適值太平洋之戰，倉促攜以歸國，頗有割損，茲重付裝裱，謹題四絕於後。

橫海雄圖事已空，尚瞻遺墨想英風。古今多少興亡恨，都付扶餘短夢中。

當時詩幅偶然懸，因結同心悟夙緣。果騰一枝無用筆，飽濡鉛淚記桑田。

一卷新裝劫後開，劫痕猶似染炱煤。湖山明媚雖依舊，舊日春光去不回。

頻年家國損朱顏，鏡裏愁心鎖疊山。歷書太行人事路，儻能偕老得餘閒。

一九二八年舊曆七月十七日與唐篔結褵於上海。余堯衢丈（肇康）賀以一聯。其上句云：「天孫七夕展佳期」，即指是而言也。後生三女，長女流求，適錢塘董有淞，生三女：景宜、景同、鶴孫（擬以鶴孫為寅恪夫婦二人之孫）。次女小彭，適文昌林啟漢，生一子曰暉。三女美延尚未適人。

一九六六年六月二十三日端午，寅恪書於廣州康樂，中山大學東南區一號樓上。時年七十六。

（原載一九九四年紀念陳寅恪先生百年誕辰學術論文集，江西教育出版社）

陳寅恪集後記

我們從小就知道全家最寶貴的東西是父親的文稿。從抗戰逃難直至「文化大革命」，父親文稿都是用全家最好的箱子裝載，家人呼之為「文稿箱」。避日軍空襲時，首先要帶的就是「文稿箱」。出版父親文集自然是父母，也是我們姐妹最大心願。

父親一生坎坷，抗日烽火中，顛沛流離，生活窘迫，雙目失明，暮年骨折臥床，更經痛苦。然而無論世道變換，病殘齊至，始終未曾間斷學術創作。父親為學一貫堅持「獨立之精神，自由之思想」，「未嘗侮食自矜，曲學阿世」。如今父親全集出版，學界儻能於研究父親著述時，更知父親此種精神之所在，則為我們姐妹辛勞的最高報償。

一九六二年胡喬木同志來訪，談及文稿，父親直言：「蓋棺有期，出版無日。」胡答：「出版有期，蓋棺尚遠。」父親聽了很高興，以為有望見到文集面世。豈知「文化大革命」開始，父母備受摧殘，蒼涼離世，終未能見到陳集出版。父親生前已將出版文稿重任託付於弟子蔣天樞先生，不料文稿在「文革」中竟被洗劫一空，片紙不留。「文革」結束後，我們姐妹將歷經曲折於一九七八年五月追回的父親文稿，送交蔣天樞先生。蔣先生沒有辜負父親囑託，付出艱巨勞動，於一九八〇年主持出版了陳寅恪文集，由上海古籍出版社刊行，這只是父親文字的一部分。一九八八年六月，蔣天樞先生不幸突然病逝，

現在出版的陳寅恪集，是在上海古籍出版社所刊印之陳寅恪文集基礎上進行的，增加了陳寅恪詩集（附唐篔詩存）、書信集，讀書札記一集（舊新唐書之部）、二集（史記、漢書、晉書、唐人小說等之部）、三集（高僧傳之部），並講義及雜稿（兩晉南北朝史講義、唐史講義、備課筆記、論文、講話、評論、聽課筆記等）。一九八〇年出版的寒柳堂集，金明館叢稿初編、二編，隋唐制度淵源略論稿，唐代政治史述論稿，元白詩箋證稿，柳如是別傳諸集，此次出版時作了校對，除寒柳堂集中詩存併入詩集，寒柳堂記夢未定稿據一九八七年六月收回的殘稿作了校補外，其餘編排均不作變動，因父親生前託付蔣天樞先生代為出版文集過程中已親自審定文集編目及有關事宜，故仍按父親原意進行。而此次刊行全集所增補之內容，則是期望從不同角度反映父親的學術生涯。

父親的文稿墨跡命運亦如其人，頻遭劫難，面世困難。抗戰時已遺失了多箱撰有眉識的書籍，其中有的被戰火焚燬，有的在運輸途中被盜，或存放父親友處丟失，現下落不明，難覓其蹤。這些皆為父親「廿年來所擬著述而未成之稿」，如蒙古源流注、世說新語注、五代史記注、佛教經典之存於梵文者與藏譯及中譯合校、巴利文長老尼詩偈集中文舊譯並補譯及解釋其詩等等（見一九四二年九月廿三日父親致劉永濟信）。而父親晚年整理就緒準備出版的文稿，於「文革」中全被查抄，「文革」過去撥亂反正後，雖於一九七八年五月及一九八七年六月兩次收回詩文稿，但仍未全部歸還。即便抗戰勝利後在清華大學授課、研究之講義，

資料等，亦未曾得見。總之，散落在各處的文字，迄今尚有部分未能獲見。這次刊印父親文集，因為目前所收集之最全者而擬名「陳寅恪全集」，轉又考慮到其實並不能「全」，故稱「陳寅恪集」。

此次父親遺作付梓，三聯書店非常重視，投入很大力量以保證質量；同時我們得到父母親朋故舊，海內外學者弟子，我們姐妹的友人以及相識或不相識的各界人士支持幫助。首先感謝蔣天樞先生一九八〇年於上海古籍出版社主持出版了陳寅恪文集，黃萱先生協助蔣先生做了不少工作。校補寒柳堂記夢未定稿及參與輯錄並審閱讀書札記等多位先生亦於此一併致謝。在我們收集父母詩文書信資料過程中，劉節先生的夫人錢澄女士，華忱之先生等將珍藏了多年「文革」劫後幸存的父親書函贈送，各種支持幫助不勝枚舉，難以一一敬列，在此謹向一切參與、推動、幫助、支持出版陳寅恪集的人士表示衷心感謝。

歷經十年的艱難曲折，陳寅恪集終於面世，當此之時，我們百感交集，真不知何以表述其經過於萬一。出版陳集為中外學者深望，此書之所以遲至今日方能面世，其間有許多我們始料未及的困擾，於此無需細述。而今陳集業已付印，我們希望以此集告慰逝去的父母，父親自謂「文字結習與生俱來，必欲於未死之前稍留一二痕跡以自作紀念」，他於「臏有文章供笑罵」之時，尚望「後世相知儻破顏」。我們更希望將父親的這些文字，作為祖國文化遺產，獻給後世相知。

　　　　　　　　　流求
　　　　　　　　陳　美延　謹述　一九九九年七月三日父親誕生一百零九週年

陳寅恪集再版説明

三聯書店出版的陳寅恪集十三種十四册，自二〇〇一年一月至二〇〇二年五月面世後，時逾八載。現藉再版重印的機會我們做了少量校勘修訂工作，如：糾正個别誤字、圖片説明；唐代政治史述論稿對照手寫本唐代政治史略稿，個别詞句作了變動；略增改書信集、詩集中的某些注釋，更正書信集中致傅斯年、致胡適、致聞宥少數函件的時間認定，編排順序也相應有所變動。但未及增補近年來新發現的一些陳寅恪信札、詩作，亦屬憾事。

在此，特向熱心提供資料及指出陳寅恪集中訛誤的讀者朋友，致以衷心謝忱！並希望此次再版重印後仍一如既往得到大家的支持和幫助。

陳美延　流求　二〇〇九年四月